Scythian
Books

РУССКИЕ ЗАВЕТНЫЕ СКАЗКИ

ИЗДАННЫЕ

А. АФАНАСЬЕВЫМ

ПОДГОТОВКА ТЕКСТА

Ю. ПЕРКОВА

РИСУНКИ

А. РАПОПОРТА

Окленд, 1988

EROTIC TALES OF OLD RUSSIA

COMPILED
BY
ALEKSANDR AFANAS'EV

SELECTED AND TRANSLATED BY
YURY PERKOV

ORIGINAL ILLUSTRATIONS BY
ALEK RAPOPORT

SCYTHIAN BOOKS
Oakland, 1988

Second edition

PRINTED IN U.S.A.

ISBN 0-933884-59-1 (pbk.)

*Italic figures indicate the page of the Russian text.

*Roman numerals indicate the number of the tale in the Geneva edition.

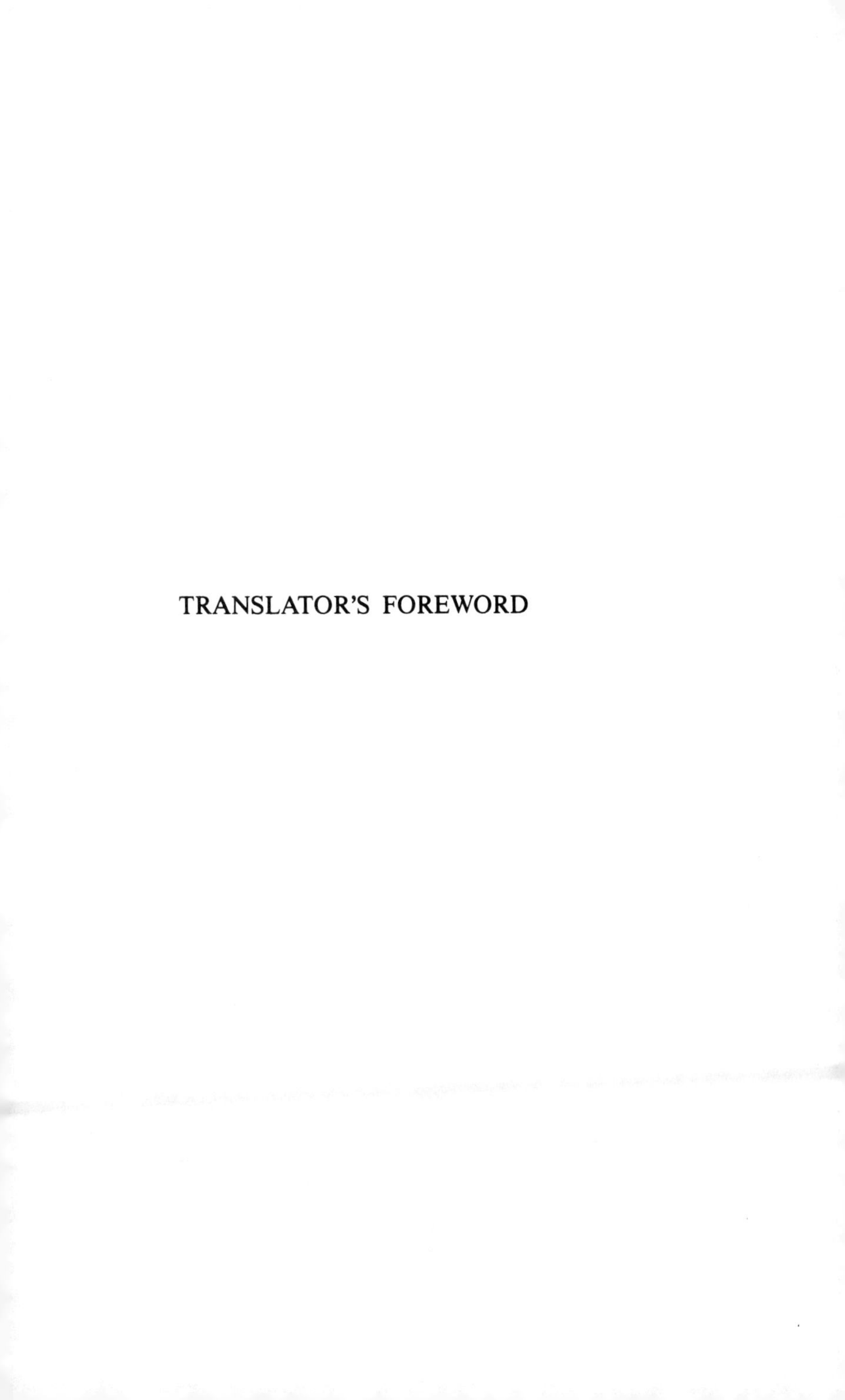

TRANSLATOR'S FOREWORD

The present selection of Afanasiev's *Russkie zavetnye skazki* (Russian secret *or* forbidden tales) has a dual purpose: to provide the student of the Russian language, literature, and folklore with a text of the Russian originals and to remedy a situation pointed out by G. Legman in his introduction to *Russian Secret Tales,* which are "not even a version at second-hand, but, one is forced to say, at second-and-a-halfth."[1] Not only do two French intermediaries separate Carrington's English edition (1897) from the Russian text, but the mores of his Victorian age required that the spiciest Russian locutions be rendered with bland, vapid euphemisms that do not begin to convey the flavor and force of the Russian originals.

The Russian texts were first published anonymously in Geneva, under a fictitious imprint.[2] Bibliographic sources indicate that the first edition appeared in 1872, a second one in 1879. Although Afanasiev's name appears nowhere in the book, ample evidence connects his name with the collection, which was intended to be included (but could not, due to the censorship) in his monumental

---

1 *Russian Secret Tales: Bawdy Folktales of Old Russia,* by Alexandr Afanasyev. Folklore annotations by Giuseppe Pitrè, Introduction by G. Legman. New York: Brussel and Brussel, 1966. (Reproduces the Carrington text.)

2 *Russkie zavetnye skazki.* Valaam: Tinarskim khudozhestvom monashestvuiushchei bratii, God mrakobesiia. The present selection is based on the second edition (xvi, 232 pp.).

3 *Russkaia podpol'naia i zarubezhnaia pechat'. Bibliograficheskii ukazatel',* I (Moscow, 1935), p. 109. According to C. M. Hotimsky, "There are at least four known editions of the work; two of these are clearly marked 'vtoroe izdanie' although they differ in pagination and other factors, all presumably published at Geneva between 1860 and 1879." "A Historiography of A. N. Afanasiev's *Russkie zavetnye skazki.*" *Essays to Houour Nina Christesen, Founder of Russian Studies in Australia,* ed. by Judith Armstrong and Rae Slonek (Kew Victoria: Australia International Press & Publications, 1979), p. 80. Legman's comments on the bibliographic history of the *zavetnye skazki* (*Russian Secret Tales,* p. vi) appear to be without foundation.

Narodnye russkie skazki (Russian folk tales), which remains to this day the most important collection of Russian tales.[4] Evidence indicates that in 1862 Afanasiev gave the manuscript containing the *zavetnye skazki*—along with other materials from the Imperial Geographical Society, the richest repository of recordings of Russian folk culture—to Viktor Kasatkin, who was associated with Hertzen and Ogarev's free press in Switzerland, for publication.[5]

Strictly speaking, Afanasiev was not a collector of folk tales; rather, he edited, systematized, and commented on tales collected by Vladimir Dal', P. Yakushkin, and others (of 640 tales published by Afanasiev, only ten were recorded by him personally).[6] The foreword to the fourth volume of the original edition of *Narodnye russkie skazki* indicates the source of many of the 'forbidden' tales: "In conclusion we should add that several very interesting tales from the collection of V. I. Dal' could not, unfortunately, be printed due to their immodest content. The hero of such stories was usually the *priest's hired hand.* They are notable for their lively humor and unbridled fantasy."[7]

Russkie zavetnye skazki included two kinds of tales which the censors could not admit: irreligious or, more strictly speaking, anti-clerical tales and those dealing with erotic or scatological themes. Some of the tales contain both elements. Strictly anti-clerical stories, i.e. those without redeeming 'prurient' interest, have been excluded from the present collection. The previous translation of them (in *Russian Secret Tales*) seems generally adequate and the Russian texts have been reproduced even in some Soviet editions.[8]

---

4 See Hotimsky, pp. 81-83; also Claude Carey, *Les proverbes érotiques russes: Études de proverbes recueillis et non-publiés par Dal' et Simoni* (The Hague: Mouton, 1972), pp. 35-38.

5 *Narodnye russkie skazki A. N. Afanas'eva.* Izdanie podgotovili L. G. Barag, N. V. Novikov (Literaturnye pamiatniki; Moscow: Nauka, 1984-85, 3 vols.), vol. 1, pp. 394-95.

6 *Narodnye russkie skazki A. N. Afanas'eva.* Pod redaktsiei M. K. Azadovskogo i dr. (Leningrad, 1936-40, 3 vols.), vol. 1, p. xliv.

7 Ibid., vol. 1, p. 499.

8 Ibid., vol. 3 and in vol. 3 of the 1984-85 edition; also *Pop i muzhik. Russkie narodnye skazki.* Pod redaktsiei i s predisloviem Iu. M. Sokolova (Moscow, 1931).

The editor has chosen not to translate certain tales in which word play that could not be rendered gracefully into English is an essential element, although their Russian texts are included. No attempt at literary, historical, or psychological interpretation is made here; the reader interested in such matters may wish to consult the folklore annotations of Giuseppe Pitrè in *Russian Secret Tales.*[9]

Fortunately, contemporary attitudes do not require a justification of this book on "scientific" grounds or an admonition to the reader not to snicker over it, as some previous editors have deemed necessary. The *zavetnye skazki* have suffered at the hands both of the prude and of the condescending critic who dismisses oral folk traditions as being intrinsically inferior to the more genteel genres. Although rough-hewn in language and structure, these tales not infrequently display an uncommon sense of irony and wit. For many readers they will present a new and unexpected view of the lower strata of prerevolutionary Russian society. For the student steeped in Tolstoy and Turgenev they should provide an introduction to a language quite unlike any they have previously encountered: the everyday speech of the comman man which, though often crude and unpolished, is colorful, dynamic, and expressive. Indeed, for linguists these tales provide practically the only prose source for the study of a language which was obviously well developed and widely used in its day, but practically unknown today —particularly among foreign scholars with no access to the living oral tradition.

The translator is grateful to Mr Alek Rapoport for providing his splendid drawings, which uncannily catch the spirit and flavor of the tales.

Oakland, 1987 Yury Perkov

---

9 On Russian erotic literature in general see William Hopkins, *The Development of "Pornographic" Literature in Eighteenth- and Early Nineteenth-Century Russia.* Ph.D. Dissertation (Indiana University, 1977).

 EROTIC TALES OF OLD RUSSIA

THE COMB

AN OLD MAN ONCE BOUGHT HIS WIFE a sheepskin coat, then fucked her all night by the fence. In the morning the weather was rather damp. The old woman walked along all hunched over and was crying. The old man followed, ready to hop on her again. She implored her husband, "Please don't tear me to pieces, dear!" But the old man was hard of hearing, so he rammed his prick into her womb and fucked the shit out of her.

Just as the eye never wearies of seeing, nor the ass of farting, nor the nose of tobacco, neither does the cunt tire of a big cock: no matter how much you screw the little varmint, it still cries out for more. But then, this isn't really part of our story—it's just a sample of what's to come.

ONCE UPON A TIME there was a priest. He had a daughter who was still a virgin. Summer came and the priest started hiring workers to mow the hay. And he hired them with the stipulation that if his daughter could pee over the top of a stack of hay the worker had mown, then he would not be paid for it. He hired many workers but they all ended up working for nothing, since every time the priest's daughter came out she managed to pee over the top of the haystack.

Then one bold workman made this agreement with the priest. He would cut the hay, and if the priest's daughter could pee over the stack, his work would be without recompense. The worker started mowing the hay. When he had cut it and pitched it in a stack, he lay down next to it, whipped his prick out of his pants, and started jacking off!

The priest's daughter came to inspect his work and asked, "Whatever are you doing, fellow!"

"I'm combing myself."

"What are you combing with?"

"I'll comb you if you'll lie down here on the hay."

The priest's daughter lay down and he began "combing" her: he really put it to her! The priest's daughter stood up and exclaimed, "What a nice comb you have!" Then she tried to pee over the stack—no, she couldn't do it! She ended up pissing all over herself, as though she were pouring it through a sieve! She went to her father and reported, "It's a real high stack, so I couldn't piss over it."

"Well, Daughter! He must really be a good worker! I'll hire him for the whole year." When the worker came for his pay the priest insisted, "Let me hire you for a whole year."

"Fine, Father!" He took the job, and the priest's daughter was just thrilled! At night she came to the farm hand and pleaded, "Please comb me!"

"No, I won't comb you for nothing. But, bring me a hundred roubles, and you've bought yourself a comb."

The priest's daughter brought him the hundred roubles, and he started "combing" her every night.

Later the farm hand had a quarrel with the priest. He demanded, "Settle up with me, Father," took his pay, and left.

The daughter wasn't home at the time. When she came home she asked, "Where is the worker?"

"He collected his pay and left for the village."

"Oh, Father, what have you done! He took away my comb." She chased off in pursuit and caught up with him at a creek. The farm hand rolled up his pants and began crossing it. "Give me back my comb!" screamed the priest's daughter.

The farm hand picked up a stone, tossed it in the water, and retorted, "Get it yourself." He crossed to the other side and that was the last she saw of him.

The priest's daughter raised her skirt, slipped into the water and started looking for the comb. She felt about the bottom, but it was nowhere to be found. A squire came riding by and asked, "What are you looking for, my dear?"

"My comb. I bought it from a farm hand for a hundred roubles but he tried to make off with it. Then I caught up with him, so he threw it in the water."

The squire got out of the carriage, threw off his pants and waded in to search for the comb. They searched and searched together. Then the priest's daughter saw the squire's prick dangling and latched onto it with both hands. She clutched it and screamed, "Hey, Sir! Shame on you, *that* is my comb. Give it back!"

"What are you doing, you shameless girl? Let me go!" cried the squire.

"No, you're the shameless one, trying to make off with someone else's property! Give me my comb!" And she dragged the squire by the prick to her father's place. The priest was watching out the window as his daughter pulled the squire along by the cock, all the time hollering, "Give me my comb, you scoundrel!"

And the squire pleaded dolefully, "O Father, deliver me from this undeserved doom! I shall never forsake you!"

What a state of affairs! The priest pulled his priestly prick out of his pants, displayed it to his daughter through the window, and shouted, "Daughter, Daughter, look! Here's your comb!"

"Oh, it *is* my comb!" cried the daughter, "the head of it is so red! And I thought the squire had taken it." She released the squire and ran toward the cottage. The squire took off running as though his life depended on it.

The girl ran into the cottage: "Where is my comb, Daddy?"

The priest lit into her: "Why, you little tramp! Just look, Mother, I bet she's lost her cherry!"

"Very well, Father," said the priest's wife, "you'd better check her out thoroughly."

The priest tossed off his pants and began fucking his daughter. When he was about to come he began moaning and screaming, "No, no! She hasn't lost her cherry!"

"You'd better shove that cherry all the way in," urged his wife.

"Don't fret, Mother, it won't slip out, I've got it in good and deep."

But the daughter was still young and inexperienced, so she couldn't get her legs high enough. "Get those legs higher!" ordered her mother.

"But dear, she's all in a heap now."

And so, the girl found her "comb." And from that day the priest began "combing" both of them. He provided a plaything for them both, and lived happily ever after, fucking both his wife and his daughter.

The Comb

THE MAGIC RING

Once upon a time in a far off land there lived three brothers. They got into a quarrel and decided to divide up all their property. But the estate was not divided equally: the oldest brother got most of it and the youngest almost nothing. All three were bachelors. They gathered in the courtyard and decided, "It's about time we were getting married!"

"It's fine for you to talk," said the youngest brother, "You're rich and you'll get rich wives. But what about me? I'm poor. About the only treasure I've got is a prick that reaches down to my knees."

At that time a merchant's daughter happened to be walking by and overheard this conversation. She thought to herself, "Gee, I'd like to be married to a fellow with a prick that size!" The older brothers got married, while the younger one was forced to remain a bachelor.

When the merchant's daughter got home, the only thing she could think about was marrying the younger brother. Many rich merchants courted her, but they didn't catch her fancy. "I won't marry anyone but that strapping lad!" she announced.

Her father and mother tried to talk her out of it. "What in the world has gotten into you? Come to your senses! How could you marry such a pauper?"

"It's none of your business. You're not the ones who'll have to live with him!" And so she secretly found herself a matchmaker and sent her to the young man.

When the woman met the young man she said, "Say there, young man, why are you just sitting there? Why don't you go court the merchant's daughter? She's been waiting for you a long time and will gladly marry you."

The young man quickly made himself presentable. He

put on his new coat and hat and went to the merchant's house to woo the daughter. The minute she saw him and recognized him as the fellow with the long prick, she asked her mother and father to bless their marriage without further ado.

But then, on their wedding night, she discovered that his prick was nothing at all to brag about; in fact, it was no bigger than her finger. "You scoundrel!" she yelled at him. "You boasted that you have a prick that hangs down to your knees. Well, what happened to it?"

"Oh, darling, I was so poor before I met you! And, in order to pay for our wedding I had to pawn my prick."

"How much did you get for it?"

"Really not very much—only about fifty roubles."

"Well, don't worry. Tomorrow I'll go to my mother and ask her for the money. Then you go and get your prick back. And if you don't get it, you needn't bother coming home!"

The next morning she went right to her mother and begged, "Mother, please help me out! Give me fifty roubles, I really am in a fix!"

"What do you need it for?"

"Well, Mother, my husband used to have a prick that hung down to his knees, but in order to get money for our wedding he pawned it for fifty roubles. The prick he's got now is really puny—smaller than my finger! So you see, we've just got to get his real prick back!"

The mother, seeing her daughter's predicament, took out fifty roubles and gave them to her. The wife ran home and gave her husband the money: "Now you go as quickly as you can and get your old prick back! We musn't let someone else make merry with it!"

He took the money and set off. As he walked along, he thought to himself, "What am I going to do now? How can I ever get the kind of cock she craves?" After he had walked a ways, he met an old woman. "Hello, ma'am!"

"Hello, fine lad! Where are you headed?"

"Oh, if you only knew what misfortune has befallen me!"

"Tell me about it, Son, maybe I can help."

"I'm too embarrassed to say!"

"Well, don't be. Now, out with it!"

"All right. I bragged that I had a prick that hung down to my knees. The merchant's daughter overheard me, and she married me for my prick. But on our first night together she saw that I was endowed no better than anyone else. She got angry and asked where my real prick was. I told her I'd pawned it for fifty roubles. Then she gave me the money to get it out of hock and said that if I didn't get it back, I needn't come home. Lord, what am I going to do?"

The old lady answered, "Give me your money and I'll fix you up." He took out the money and gave it to her. The old woman gave him a ring in return: "Here, take this ring. Put it on your finger, but just on the end, over the fingernail." The fellow took the ring and put it on—and his prick grew to a foot and a half long! "Well," asked the old woman, "does your prick reach your knees now?"

"Yes, and even a little further."

"Well, Son, now put the ring all the way onto your finger."

When he did this, his prick grew to almost five miles long! "Oh, God, what'll I do? I'm sure to get into trouble with this thing!"

The old woman said, "Move the ring back onto the end of your finger. Then it will go back to a foot and a half. But, enough of this. Be sure you always keep the ring on the end of your finger!"

He thanked the old woman and headed for home. On his way back he felt overjoyed that he wouldn't have to return to his wife empty-handed. He walked and walked, and began to feel hungry, so he turned off the road and sat down near a bush. He took some crackers out of his knapsack and had a snack. Then he felt sleepy, so he lay down on his back and admired his new ring. He put it on the end of his finger and up went his prick, one and a half feet into the air. Then he put it on all the way and his prick stretched out to at least five miles! He took off the ring and it returned to normal size. As he was admiring the ring, he fell asleep and forgot to put it away, leaving it on his chest.

A nobleman and his wife were driving by in a carriage, and the nobleman noticed the peasant sleeping by the road. The ring on his chest sparkled and glittered in the midday sun. The nobleman stopped the horses and ordered his servant, "Go over to that peasant. Get his ring and bring it to me." The servant did as he was ordered, then they set off along the road. The nobleman took a fancy to the little ring and said to his wife, "Look at this wonderful ring, dear. I think I'll try it on." He slipped it all the way onto his finger and—his prick suddenly grew. It knocked the coachman off his seat and ended up right under the mare's tail. It began fucking the mare, propelling the coach forward.

His wife realized they were really in trouble. She was scared out of her wits and yelled to the servant, "Run back to that peasant and bring him here fast!"

The servant ran back, woke up the peasant and screamed, "Come with me quickly!"

But the peasant started looking around for the ring. "Goddamit! Did you take my ring?"

"Run to my master, he has it!" said the servant. "It's

causing us a lot of trouble.''

When the peasant got to the carriage, the nobleman begged, ''Forgive me! But please get us out of this mess!''

''What will you give me, Sir?''

''Here's a hundred roubles!''

''Give me two hundred and I'll help you!''

The nobleman gave him the two hundred and the peasant jerked the ring off his finger—poof! And the cock disappeared into thin air! The nobleman drove away with his usual little prick, and the peasant went home with his ring.

His wife saw him from the window and rushed out to meet him. ''Well, did you get it back?''

''You bet!''

''Well, show me!''

''Let's go in the house. I'm not going to show you out here!'' He put the ring on the end of his finger and his cock swelled up to a foot and a half. He took it out of his pants and proudly displayed it.

She started kissing him: ''Good, my love! It's better that we have it than to let some stranger use it. Let's have a quick dinner and go to bed. We'll try it out!'' She fixed him quite a spread. They had dinner, then off to bed.

He fucked her so that she stayed fucked! For three days after that she kept glancing under her skirt and imagining that his cock was still in her.

Then one day she went to visit her mother. Her husband went out to the garden and lay down to take a nap under an apple tree. ''Well,'' asked the mother, ''did you get his prick back?''

''Oh yes, Mother!''

At that point the mother became obsessed with one idea: somehow she had to find a way to get over to her daughter's house and try out this wondrous thing. When the daughter got carried away with her chatter, her mother made off to the son-in-law's. She found him in the garden sleeping, with the ring on the end of his finger. His prick was standing there, a foot and a half into the air. The woman thought to herself, "I'll try to climb onto him and get that thing into me." She mounted it and began rocking on the end of it. But the peasant's ring slipped down onto his finger and—up, up went his prick, five miles into the sky!

When the daughter noticed that her mother had disappeared, it didn't take her long to guess what had happened. She flew home, but there was no one in the house. She ran out to the garden and saw her husband sleeping. His prick towered high in the sky. On the end of it she could barely make out the form of her mother. A breeze came up and she spun gently, like a weathervane.

The daughter began wondering how to get her mother down. Soon, a big crowd had gathered, and everyone seemed to have his own idea on the matter. Some suggested, "The only thing to do is to take an ax and chop the cock down." Others disagreed: "Why kill two people? If we chop it down, the woman will come crashing down to her death. Let's all pray together. Maybe by some miracle the old woman will get down."

Just then the peasant woke up and saw that the ring had slipped onto his finger, and his prick stretched high into the heavens. It had him pinned on his back; he couldn't even turn onto his side. Then he began slowly to move the ring toward the end of his finger, and his prick began to shrink. When finally he had the ring on the very tip of his finger and his prick was again a foot and a half long, he was astonished to see his mother-in-law stuck on the end of it. "Mother! How the devil did you get there?"

"God, I'm sorry. I'll never try anything like this again!"

MIRTH AND GRIEF

Once in a far-off land there lived a priest. He lived near a river and operated a ferry.

One day a barge hauler came upon the river and shouted to the other bank, "Hey, Father, would you take me across?"

"Will you pay me to ferry you, my Son?"

"I haven't any money, so I can't pay you."

"Then I can't bring you across."

"If you'll ferry me across I'll show you *mirth and grief.*"

The priest began thinking. He wanted to see this 'mirth and grief.' "What in the world could the barge hauler be talking about," he wondered. So he got in the boat, went to the other bank, picked up the barge hauler and transported him to the other side.

"Now, Father, turn the boat upside-down," said the barge hauler.

The priest turned the boat bottom-side-up and waited to see what would happen. The barge hauler jerked out of his breeches a titanic prick and smashed the boat with it so hard that the boat was split in half! At the sight of such a stupendous organ the priest broke out laughing. Then, realizing what had happened to his boat, he was so dismayed that he cried with grief.

"Well, does this satisfy my debt, Father?" asked the barge hauler.

"To heck with you! Just get going."

The barge hauler bid farewell to the priest and went his way, and the priest returned home. No sooner had he entered his cottage than he remembered the barge hauler's prick and broke out laughing. Then he thought about his boat and began crying.

"What's wrong?" asked the priest's wife.

"Oh, my dear, you can't imagine my misery!" And he foolishly related to her all that had happened.

When the priest's wife had heard about the barge hauler she lit into her husband. "Oh, you old fool! Why did you let him go? Why didn't you bring him home? Why, that was no barge hauler, it was my brother! No doubt my parents sent him to find out how we are, but it wouldn't occur to you... You hurry up—hitch the horse and go after him. Otherwise he'll probably get lost and return home without seeing us. I want to see the dear fellow and inquire about my parents."

The priest harnessed the horse and went off after the peasant. He caught up with him and said, "Listen, my fellow, why didn't you let me know you're my wife's brother? As soon as I told her about your prowess she realized it was you and ordered me to bring you back."

The barge hauler immediately guessed what was going on and said, "That's right. I'm your brother-in-law, but I didn't recognize you because I've never seen you before."

The priest took his hand and led him to the wagon. "Sit down, my Son, sit down! Let's go home. Praise be, my dear wife and I are well and content and are able to put you up."

He brought the barge hauler home. The priest's wife ran right out to meet him. She threw her arms about his neck and kissed him. "Oh, my dear brother, it's been so long since I've seen you. Well, how are the folks doing?"

"As always, sweet sister. They sent me to find out how you are."

"Well, by the grace of God, we're pretty well, too, brother." The priest's wife sat him at the table and placed before him a variety of treats: fried eggs, vodka, and all kinds of goodies. "Eat up, dear brother!"

All three began to eat, drink, and make merry until nightfall. As soon as it was dark the priest's wife made the bed and said to her husband, "My brother and I will lie here and talk about our parents, about who's still alive and who's died. You, dear, sleep on one of the benches or the loft."

So they lay down to sleep. The barge hauler mounted the priest's wife and started fucking her so hard with that enormous prick that she couldn't restrain herself: her squeal filled the whole cottage.

The priest heard it and asked, "What's going on?"

"Oh, my dear, you don't know my misery. My father died."

"Well, may he find eternal bliss," said the priest as he crossed himself.

But the priest's wife just couldn't hold it back so she squealed again, even louder than the first time.

The priest asked again, "What's wrong now?"

"Oh, my dear, my mother died too."

"May she find eternal peace and repose with the saints!"

And so it went, all through the night.* In the morning the barge hauler got ready to go home. The priest's wife

*Variant: The peasant (=barge hauler) just stuffed himself. "Well, now, let's go to my room," the priest's wife said to him. "We'll talk about our relations and how they're getting along. You tell me about yourself, dear brother, and I'll tell you about us." They left together, and the priest realized what was going on. He went to the door and peeked through a crack: there was the peasant, fucking his wife on the bed! He was embracing her with such fervor that the bed was rocking. The priest saw this filthy deed in progress, but he was afraid to enter the room. "If I interfere," he thought, "the peasant will kill me with his cock! Such is life."

gave him wine and pies, and other farewell treats. How she fussed over him! "Well, dear brother, whenever you're in these parts be sure to come and see us!"

The priest joined in, "Don't avoid us now, we'll always be glad to see you!"

The barge hauler bid farewell. The priest's wife accompanied her brother while the priest followed. They walked along chatting until they reached the field, then the priest's wife said, "You go on back, dear, I want to see my brother off by myself."

The priest started back. When he had gone about thirty paces he stopped and looked to see how far they had gone. The barge hauler, in the meantime, pulled the woman onto a hillock, mounted her, and began fucking her goodbye. In order to fool the priest the better, he placed his cap on her right foot and ordered her to hold it up in the air. As he fucked her, the priest's wife just kept wiggling the cap with her foot.

The priest stood and watched. "Why, what a friendly man! He's gone quite a distance, but he just keeps bowing and waving his cap to me." He took off his cap and began bowing: "Goodbye, brother-in-law, goodbye!"

By the time the barge hauler got his rocks off, he had satisfied her so completely that she kept peeking under her skirt for three days.

When she caught up with the priest, she was singing with joy. "In all the years I've lived with her, I've never heard heard her sing," noted the priest.

"Well, dear, I saw my brother off. I'd sure like to see more of him!" exclaimed the priest's wife.

"God is beneficent, perhaps he'll come again."

THE TWO BROTHERS

Once upon a time there was a peasant who had two strapping young sons. One day he and his wife began wondering which son to marry off first: should it be Gritsko or Lavr?

"The older one should be married first," suggested the wife. So they started trying to find a wife for Lavr, and soon they arranged a match for him in a nearby village. Their first meeting was to take place at Shrovetide during Holy Week.

When the period of fasting was over, the two brothers hitched up the horses to the wagon and set off to meet Lavr's future wife. Gritsko did the driving and Lavr just sat back, taking it easy.

No sooner had they left the village than Lavr felt an urge to take a shit: after the long fast he had really stuffed himself. "Hey, Gritsko, stop the horses!"

"Why?"

"I've got to take a shit!"

"You ass! You wouldn't shit on *our* property, would you? Wait a bit. When we're on someone else's land you can really unload!"

So Lavr held back until he started feeling feverish and broke out in a sweat. Soon they were passing through a neighbor's field. "Well, I think you'd better stop the horses right now. I can't stand it anymore. God, I've got to shit!" complained Lavr.

Gritsko replied, "You really are stupid! Why didn't you

say it was that bad when we were driving through our land? You could've easily taken a shit there! But no! You want to dirty up someone else's place. And besides, it's broad daylight. If anyone sees us, they'd beat the living shit out of us and take our horses. You just wait a while longer. When we get to your future father-in-law's house you jump out of the wagon and make a beeline for the outhouse. You can sit there and shit to your heart's content! And while you're doing that, I'll unhitch the horses."

Lavr just sat there pouting and trying to hold it back. When they arrived the prospective mother-in-law met them at the gate. "Greetings, Son! We've been expecting you!" said the mother. Lavr hopped out of the wagon and was about to rush off to the outhouse when the woman, thinking he was embarrassed, grabbed his arm and exclaimed, "Don't be bashful, Son. We're just simple folk here. Come on into our humble cottage!" And she dragged him inside and sat him down at the table.

At this point Lavr just couldn't hold it back any more. The shit came gushing out into his pants. There he sat on the bench, afraid to budge. The mother was fussing around him, bringing wine and food for her guests. She poured a glass and offered a toast to her future son-in-law. As soon as Lavr stood up, the shit just flowed down his legs into his boots, and a hideous stench soon filled the cottage.

The hostess went looking everywhere for the cause. "Maybe one of the children dirtied their pants," she thought. But no, that wasn't it. Finally she said to her guests, "It's not very clean in our yard. Maybe one of you stepped in some shit. Would you mind standing up so I can look at your boots?"

She examined Gritsko's boots and found nothing. "Well, Son, when you arrived, you headed toward the outhouse," she said to Lavr. "Maybe you're the one who stepped in something." She began feeling around and when she got to his knees, her hands got all smeared with the awful stuff. She began swearing, "What the hell! Are you crazy or something? You came here to make fun of us! You vile beast! Before you've had anything to eat or drink, you shit your pants! Go to hell and be the devil's son-in-law for all I care!" Then she called her daughter and said, "My child! I won't give you my blessing to marry this shitass. Marry his brother instead!"

Lavr moved aside and his brother was seated at the place of honor. They ate and drank until evening. When night fell and it was time for bed the mother announced, "You'll sleep in the new cottage tonight. Arrange the feather bed, Daughter, and make it up for your fiance. But let that asshole brother of his sleep on the hard bench!" And so they went to bed, Gritsko on the feather bed, Lavr on the bench.

Lavr couldn't sleep, plotting how to get even with his brother. When Gritsko was fast asleep he got up and quietly placed the table in front of the door, then lay back down on the bench. Sometime around midnight Gritsko was awakened by an overpowering urge to take a shit. He climbed out of bed and, heading for the door, bumped right into the table. "What's going on here! Where's the door?" he thought. He turned around and began looking but kept running into walls. "Where is that goddamn thing!" By this time he was dying to take a shit. So he squatted by the table and let loose such a load you couldn't have carried it away with a shovel!

When he finished, he began to wonder: "This isn't such a good deal. I'd better get this out of here before morning." He looked around and spotted a crack in the wall. He tossed a turd at it but it hit the wall and bounced right back in his face. He wiped himself off. Then he took another handful and threw it. Again—a faceful of shit! Now both he and the walls were smeared with shit. He had to wash up, but where? He groped about searching for some water. When he got to the stove, he came upon a kettle that still had some red Easter egg dye in it, and he washed his hands and face in it. Satisfied, he returned to bed and fell asleep. Then his brother quietly moved the table back from the door.

At dawn the girl came to wake up her fiance. "Get up, dear! Breakfast is ready!" But when she saw his blue [sic] devilish face, she fled in terror and ran screaming to her mother.

"Why are you crying, dear?" asked her mother.

"Oh, God! We're cursed. Go see what's happened in the new cottage!"

"What do you mean? It's just your fiance and his brother."

All three—mother, daughter and father—went to have a look. When they entered Gritsko saw them and smiled happily. He looked like a real demon, his white teeth gleam-in his blue face.

They ran out and the old man locked the door. Then he went to the priest. "Please, Father, come and bless our new cottage—and drive out the evil spirit that's settled in it."

"Do you really have demons? I'm afraid of them myself!"

"Don't worry, Father, I've got a horse. If anything goes wrong you can just climb on it and clear out of there fast. Even a bird couldn't catch you on that horse."

"Well, all right, I'll go exorcise it. But you've got to give me the horse as a gift."

"It's yours, Father!" said the peasant, bowing respectfully.

The priest put on his robes and took with him the sexton and sacristan. As they circled the new cottage, he swung the censer and chanted.

"Oh," thought Gritsko, "here comes a priest with a cross. I'll stand by the door. If he happens to come in, I'll get his blessing." As he stood there waiting, the priest circled the cottage three times, went up to the door and opened it. When he came through the door Gritsko extended his blue hand to him.

The priest reeled back, jumped on the horse and started whipping it with the censer instead of the whip. The horse took off at a gallop, while the priest just kept beating it. Suddenly a hot cinder from the censer flew under its tail, and the horse went crazy. It reared up, then tripped and fell. The priest flew headfirst over the horse, cracked his skull, and died.

And so, the two brothers returned home empty-handed.

THE SIMPLETON

Once upon a time there was a peasant and his wife. They had a son, and what a dunce! He began thinking about getting married so he could sleep with a woman. So he kept pestering his father: "Father, please marry me off."

"Wait a bit, my Son, it's too early for you to marry. Your prick doesn't even reach your ass-hole yet. At such time as it does, I'll marry you off."

And so the son took cock in hand and stretched it as far as he could and indeed it was true, it didn't quite reach his ass-hole. "Yes, it's too early for me to marry. My prick is still too small; it doesn't reach far enough. I'll just have to wait a year or two."

Time dragged on, and the only thing the simpleton could occupy himself with was stretching his cock. And finally he achieved his goal: his cock reached not only to his ass-hole, but even beyond! Now he wouldn't be ashamed to sleep with a woman. "I'll be the one to keep her satisfied, and I won't let her run around."

The father thought to himself, "What can you expect from a fool like that!" And so he told him, "Well, my Son, since your cock has grown so big that it reaches beyond your ass-hole, there's no reason for you to get married. Remain a bachelor, stay home, and fuck yourself in the ass!" And that was that!

посадила его попадья за столъ
наставила передъ нимъ
разныхъ закусокъ яишницу
и водки и ну угощать
кушай любезной братец
начали всѣ они трое
ѣсть пить и веселить
ся до самой
ночи
СМѢХЪ
И
ГОРЕ

Mirth and Grief

LIKE THE DOGS DO IT

Once upon a time there lived a nobleman who had a beautiful daughter. One day she went out for a stroll. A man-servant followed behind her, thinking to himself, "What a nice piece! I don't think I would need anything else in this world if just once I could screw her. Then I could die without regret." He pondered this until he couldn't stand it anymore, then said under his breath, "Beautiful lady, I wish I could have sex with you dog-style!"

The young woman heard these words and returned home. When night finally came, she summoned the servant to her quarters. "All right, you scoundrel!" she said. "What did you say as I was out walking today?"

"I'm sorry, ma'am. I did talk out of turn..."

"Well, all right then, do it to me dog-style now. If you don't, I'll tell my father everything..." Then the woman lifted up her skirt, got down on all fours in the middle of her chamber, and said to the servant, "Bend down and sniff around, like dogs do!" The servant bent down and sniffed. "Now lick with your tongue, like a dog!" The servant licked once, then twice, then three times. "Now run around me!" And he began running around the woman. He ran around her about ten times, then she had him sniff and lick her again. He wrinkled up his nose, spit, and then licked again.

"Well, that will do for the first time," said the lady, "now off to bed with you, but report here again tomorrow night."

The next night the lady again summoned the servant to her room. "What's the matter with you, you rascal! Don't you know enough to come here by yourself? I don't want to have to send for you every day! Come on, keep your mind on what you're doing!" Whereupon she lifted her skirt and got down on all fours, and the servant began sniffing under her ass and licking her cunt. Then he ran around her ten times or so and again sniffed and licked her.

The young lady thus bestowed her favors on him for a long time. Finally she took pity on him, lay down on the bed and lifted up the front of her skirt. Then she let him fuck her just once and forgave him for his indiscretion.

The servant screwed her and thought, "Well, that wasn't so bad. I had to do a lot of licking, but I got what I was after."

THE MAGIC FIFE

Long ago in a far-off kingdom there lived a nobleman. The nobleman's neighbor was a peasant, and a poorer man you couldn't find! One day the nobleman summoned him and said, "Listen, my good man, you still haven't paid off your debt, and you have nothing I can take as repayment. You'd better come and work for me for three years. You can work off your debt that way."

The peasant worked for him three years, but when his time was up the nobleman did not want to let him go and began to wonder what fault he could find with the peasant in order to obligate him to work for another three years. The nobleman summoned him and said, "Take these ten hares out to the field and let them graze. But watch them carefully so that no harm comes to them, or else I'll keep you indentured for another three years."

No sooner had the peasant driven them out to pasture than they ran off in all directions. "What am I going to do!" thought the peasant. "Woe is me!" He sat down right there and cried.

Suddenly, from nowhere appeared an old man. "What are you crying about?"

"What do you mean, what am I crying about! The nobleman ordered me to watch his hares while they graze, and now they've all run away! Now I'm really going to catch it!"

The old man gave him a little fife and said, "Take this fife. When you play it, all the hares will come running."

The peasant thanked him, and as soon as he began playing it all the hares appeared. When he had herded them home the nobleman counted them and announced, "They're all here, safe and sound!"

Later the nobleman said to his wife, "What can we do? What fault can we find with this peasant?"

"I have an idea, dear. When he drives the hares out to pasture tomorrow I'll put on a disguise, go out to see him and buy one of them from him."

"Good idea!"

In the morning the peasant drove the hares out to the field and, when he approached the forest, they all ran off in different directions. The peasant just sat down on the grass and started weaving some sandals. Suddenly the nobleman's wife rode up and stopped. She went up to him and asked, "Say, what are you doing here?"

"I'm tending the livestock."

"What livestock?"

The peasant took the fife and started playing, and all the hares came hopping to him.

"Oh, please sell me one of them," pleaded the noblewoman.

"That's out of the question. After all, these are the nobleman's hares and he's really strict. He would kill me!"

"Please, sell me one!" the noblewoman kept pleading.

The peasant saw that she really wanted one, so he said, "I have a rule I always stick to."

"What is the rule?"

"If a woman lets me fuck her, I'll give her a hare."

"Wouldn't you take money instead?"

"No. The only thing I want is a fuck."

The noblewoman had no choice: she let the peasant fuck her. When he finished, he handed her a hare and said, "Ma'am, you should hold the hare gently or you might crush it.''

So she took it, got in her carriage and drove away. But when the peasant started playing the fife the hare heard it, jumped out of the noblewoman's hands and ran back to the peasant.

When she arrived home her husband asked, ''Well, did you buy a hare?''

''I did, but when the peasant started playing his fife it slipped away from me and ran off.''

The next day the noblewoman again went to see the peasant. When she found him, she asked, ''What are you doing, peasant?''

''I'm weaving some sandals and tending the nobleman's livestock.''

''Where is your livestock?''

The peasant began playing the fife and immediately all the hares came running. When the noblewoman tried to make a deal to buy one of them, the peasant answered, ''I have a rule I have to follow.''

''What rule is that?''

''You have to let me fuck you.''

The noblewoman again let him take his pleasure and in exchange received a hare. But then, when he played the fife, it ran away and returned to the peasant.

The next day the nobleman himself put on a disguise and went to see the peasant. ''What are you doing, peasant?''

''I'm tending the livestock.''

''Where is your livestock?''

The peasant began playing the fife and soon the hares came running.

''Please sell me one!''

''I won't sell them for money. I have a rule to follow.''

''What rule?''

"If you'll fuck this horse, I'll give you a hare!"

The nobleman climbed on the horse and fornicated with it. The peasant then gave him a hare and said, "Hold it carefully or you'll crush it."

The nobleman took it and set off towards home. But when the peasant started playing the fife and the hare heard it, it sprang away from the nobleman and ran back to the peasant. The nobleman saw the situation was hopeless and gave the peasant his freedom.

A Crop of Pricks

THE PIKE'S HEAD

Once upon a time there was a peasant who had a wife and a young daughter. The daughter went out to harrow the garden. She worked and worked, until she was called home to have some pancakes. She started back, leaving the horse and harrow untended: "He can stand there a while, until I return."

But their neighbor had a son who was a real idiot. He had wanted to screw this girl for a long time, but couldn't figure out how to go about it. But then he saw the horse and harrow. He climbed over the fence, unharnessed the horse and led it to his garden. He left the harrow where it was, but stuck the tongue through the fence to his place and reharnessed the horse.

When the girl came back she was perplexed: "What's going on? How come the harrow is one side of the fence while the horse is on the other?" She started beating the nag, all the time repeating, "How the devil did you get into such a fix! You managed to get yourself into this mess, now figure a way out! Now, get!"

The fellow stood watching, and started chuckling. "If you want my help, you'll have to put out..."

The crafty girl replied, "Well, perhaps..." She had noticed an old pike's head lying in the garden, its jaws gaping. She picked up the head, stuck it up her sleeve, and said, "I won't climb over to you and, so nobody can see, don't you come over here. We'll just do it through the fence. Well, hurry up, shove your ol' prick through here and I'll guide it in."

The fellow worked up a hard-on and stuck it through the fence. The girl took the pike's head, opened it, and stuck it right on the head of his prick. He jerked back and scratched his cock so bad that it bled. He grabbed it in his hands and ran home, sat down in the corner and sulked. "Oh, goddam her!" he thought to himself, "and what an awful bite her cunt has! If only my prick will heal, I'll never ask a girl again!"

Soon after it was decided that it was high time the fellow got married. They arranged a match with the neighbor girl and married them. The couple lived together for a few days; then a week passed, two weeks, and even a third, but the fellow was afraid to go near his wife.

One day they were supposed to visit his mother-in-law. On the way the woman said to her husband, "Listen, why don't we ever have sex? After all, we are married. Maybe you're unable, but why make me suffer?"

And he replied, "No, you won't fool me this time. That cunt of yours has a nasty bite. My cock hurt for a long time afterwards, and it almost didn't heal."

"That's nonsense," said she. "I was just playing a trick on you then. You don't have to worry now! Go ahead and try it. We can screw on the way if you like."

Suddenly he was overcome with desire. He pulled up her skirt and said, "Wait, honey, let's do it this way: I'll tie your legs, then, if it starts biting, I'll be able to jump out and get away." He untied the reins and used them to bind her bare thighs.

He had a good-sized tool, so when he put it to her she screamed bloody murder. The young horse was spooked and it began fidgeting. The sleigh jerked to and fro, and the fellow was dumped out. The girl was still lying there, her bare thighs bound, when the sleigh sped on into her mother's yard.

The mother looked out the window and, seeing the horse, thought her son-in-law must be bringing some meat for the holiday. But it was her daughter! "Oh, Mamma!" she shouted, "hurry and untie me, before anybody sees!"

The old woman untied her and asked how this had happened. "Where's your husband?"

"The horse threw him out of the sleigh!"

When they got in the house they looked out the window and spotted the husband coming. He walked up to some little boys playing knucklebones, stopped and looked around. Varvara's mother sent her eldest daughter to fetch him. "Hello, Danila Ivanovich!" she said.

"Hello there!"

"Go on into the house. You're the only one missing."

"Is my wife here?"

"Yes, she is."

"Has she stopped bleeding?"

In response to this the girl just spit and walked away. Then the mother sent her daughter-in-law out. She entreated him, "Come on, Danila! She's stopped bleeding." She led him into the house.

His mother-in-law greeted him, "Welcome, Son!"

"Is Varvara here?"

"Yes."

"Has she stopped bleeding?"

"Yes, she has."

Then he pulled his prick out, showed it to her and said, "I had this thing all the way in her!"

"Well, sit down. It's time to eat."

They sat down and began to eat and drink. When the scrambled eggs were served, Danila wanted to eat them all himself. A clever idea occurred to him: he took out his prick, hit the end of it with his spoon, and said, "I had this thing all the way into Varvara!" Then he began stirring the scrambled eggs with his spoon. Everybody began fleeing from the table and he gobbled up all the eggs by himself. Then he thanked his mother-in-law for a fine meal.

THE BLIND MAN'S WIFE

There once was a squire and his lady. The squire was stricken blind and his wife started having an affair with a certain clerk. The squire began to wonder whether his wife wasn't fornicating with someone, so he stuck close to her constantly. How frustrating!

One day she was walking to the garden with her husband. The clerk arrived and she was eager to make love. As her blind husband sat under the apple tree the woman went about the business of committing adultery with the clerk.

But a neighbor who happened to be watching out his window saw what was taking place: the clerk was straddling the lady. He commented to his wife, "Just look what's going on there in the orchard, dear. What would happen if suddenly God were to open the blind man's eyes and he beheld this spectacle. Why, he'd murder her!"

"Yes, but God has made her wily."

"But what wile could get her out of this?"

"You'll see."

And indeed, for this sin the Lord opened the blind man's eyes. He saw the clerk sitting astride his wife and screamed, "You bitch! What are you doing, you goddam whore!"

"Oh, darling, how wonderful! You see, I had a dream last night that if I fornicated with this clerk, the Lord would restore your sight. And it all came true: for my good deed, God has given you back your eyes!"

THE PRIEST AND HIS HIRED HAND

Once upon a time there was a priest who had a wife and two daughters. The priest hired a man to help out around the house. Before setting off on a pilgrimage, he said to his worker, "Now you be sure to have the whole garden spaded and laid out in rows by the time I get back."

"Yes, Father," answered the worker. But he did a poor job of spading with a stake and kept loafing around.

The priest returned and went with his wife to the garden to take a look. Nothing had been done. "Haven't you done anything? Don't you even know how to dig up a garden?"

"No, that's why I haven't got the job done."

"Well, go back up to the house and ask my daughter to give you an iron shovel. I'll show you how it's done."

The hired man ran off to the house. "Well, young ladies, your father has ordered you to 'give it' to me."

"To give you what?"

"Come on, you know—a fuck!" The priest's daughters began swearing at him. "There's no reason to get so mad. Your father doesn't want me to delay. We've got to get those rows spaded. If you don't believe me, ask him yourselves."

One of the daughters ran out to the porch and yelled, "Did you say we have to 'give it' to this guy?"

"Yes, and be quick about it. What are you holding him up for?"

"Well, little sister," said the daughter, returning, "there's nothing we can do, since father said we had to."

Then they both lay down and the workman hastily worked

his will on them. Afterwards he quickly grabbed the shovel and ran back to the garden.

The priest showed him how to dig rows, and he and his wife returned to the house, only to find the daughters crying. "Hey, why all the tears?"

"How can you ask that, Father! You were the one who ordered us to let him work his will on us. It was you who ordered us to 'give it' to him!"

"What! I just told you to give him a shovel."

"What shovel? He deflowered both of us! He took away our innocence!"

The priest, when he heard this, got mad as hell. He grabbed the stake and flew out to the garden. The workman saw him coming with the stake and knew he was on to him—he dropped the shovel and hightailed it. The priest was right behind him, but the workman was faster and quickly made his getaway. The priest kept on looking for him. As he was walking along, he met a peasant. "Hello!"

"Hello, Father!"

"You didn't happen to see my workman, did you?"

"I'm not sure; some fellow ran past me real fast."

"That was him! If you'll come along and help me find him, I'll make it worth your while." They set off together and soon met a gypsy. "Hello, gypsy!" said the priest, "did you happen to see anybody around here?"

"Yeah, Father, some fellow ran by a while ago."

"That must have been him! Help us find him and I'll make it worth your while." So the three of them set off. The workman, in the meantime, ran into the village, changed clothes, and came back to meet the priest. The priest didn't recognize him, and asked, "Say, did you see a peasant anywhere along this road?"

"Yes, I did. He ran into the village."

"Well, would you help us find him?"

"Sure, Father." All four of them set off to look for the priest's workman. When they got to the village they walked around everywhere searching, but found neither hide nor hair of him. It was getting dark and they began to wonder where they might spend the night. They came to a cottage where an old widow lived and asked if they could sleep there.

The widow answered, "Gentlemen, there's going to be a big flood here tonight. You might drown." She tried and tried to talk them out of it but finally ended up letting them in for the night. The fact of the matter was, her lover had promised to visit her that night.

So they went into the cottage and lay down to sleep. Then the priest began to worry: "What if there *is* a big flood tonight?" So he took a washtub, put it on a shelf and climbed into it. He thought, "If there's a flood, I'll just float around safe and sound." The gypsy lay down on the hearth of the stove, his head close to the fire. The peasant lay down on a bench near the table, and the priest's workman settled onto a bench right by the window. They got tucked in and fell fast asleep. Only the priest's workman was still awake.

He heard the widow's lover come up to the window and knock: "Open up, it's me, dear."

The workman got up, opened the window, and said, "Oh, my love! You shouldn't have come now. I've got some guests here in the house. Come tomorrow night."

"Oh, my dear," said the widow's lover, "lean out the window and give me a kiss, at least."

The workman turned around and stuck his ass out the window. The man showered it with kisses and said, "Good-bye, dearest! I'll be back tomorrow!"

"Oh, yes, I'll be waiting. But may I just hold your prick before you go? That will make parting easier."

He pulled his cock out of his pants: "Here you are,

darling!'' The workman fondled it awhile, then whipped a knife out of his pocket and whacked off the fellow's prick and balls. He screamed bloody murder and staggered away. The workman closed the window, sat down on the bench and made chomping noises as though he were eating.

The peasant heard him and asked, ''Say, are you eating something?''

''Yeah, I found a piece of sausage here on the table, but I can't seem to bite through it—it's so tough.''

''I don't give a damn if it is tough, let me have a piece of it!''

''I hardly have enough for myself, but take this one end and try it,'' and he handed the peasant the prick.

The peasant was starved; he began chewing. He chewed and chewed, but couldn't bite a piece off. ''God, what am I going to do! This damn thing is so tough I can't eat it.''

''Well, stick it in the oven for a while, then you'll be able to eat it.''

The peasant got up, went over to the stove and crammed the prick right into the gypsy's mouth. He kept it there for a while and then tried it again. ''No, it still isn't cooked at all. The fire just isn't hot enough.''

''Quit fooling around with that thing! The old woman might wake up and give us hell. You probably raked the coals up; you'd better pour some water on them or she'll find out.''

''But where can I get the water?''

''Just piss on it; that beats going outside.'' As a matter of fact, the peasant did have to piss. He started pissing all over the gypsy's face.

When the gypsy woke up and felt water going into his mouth he thought the ''flood'' had come and began screaming, ''Oh, Lord, it's the flood! It's here!''

When the priest heard this he was only half awake, and

he pushed the washtub where he was sleeping off the shelf, thinking it would float. The washtub went crashing to the floor and all his ribs were cracked. "Oh, my God," yelled the priest, "when a child falls, God softens its fall; but just let an old man fall, and the Devil will see to it that he breaks every bone in his body! Now I'm done for! I'll never find that workman."

The workman said, "You'd better give up and go back home. It'll be healthier for you."

THE HOT COCK

Once upon a time there was a peasant who had a daughter. She said to her father, "Daddy, Vanka asked if he could fuck me."

"Why, you nasty girl! There's no reason to put out for someone else when I can fuck you myself." He took a spike, heated it on the stove, and shoved it right up her cunt. After that she couldn't piss for three whole months!

When Vanka next met her he began pleading, "Let me fuck you."

And she said, "Don't give me that stuff, Vanka, you devil! Daddy fucked me and burned my cunt so bad that I couldn't piss for three months!"

"Don't fret, silly! I've got a cool cock."

"You're lying, Vanka, you devil! Just let me feel it."

"So feel it!"

She took his prick in her hand and cried, "Why you... what a devil! It *is* warm. Dip it in the water."

Vanka started to dip it in the water and, stretching, he let a fart. "Look, it started hissing. You see, I told you it was hot but you still tried to fool me, you scoundrel!" cried she.

So Vanka didn't get to make her.

A CROP OF PRICKS

Once upon a time there were two peasants. They plowed their land and went out to sow rye. An old man who was walking by went up to one of the peasants and greeted him, "Hello, peasant!"

"Hello there, old man!"

"What are you planting?"

"Rye, Sir."

"Well, may God bless you with a good crop!" Then the old man went up to the other peasant. "Hello, peasant!"

"Hello, old man!"

"What are you sowing?"

"What business is it of yours? I'm sowing pricks!"

"Well, I hope all your pricks come up!"

The old man went on his way. The peasants sowed the rye, then harrowed the fields and went home. When spring came and the rains began, the one peasant's rye came up, thick and healthy; in the other peasant's field big redheaded pricks sprouted up. They covered almost three acres and were so thick you couldn't walk through the field.

One day the two peasants came to inspect their fields and see how the crop was doing. The first peasant was ecstatic, looking at his rye. The other peasant's heart almost stopped when he saw his field. "What in the world am I going to do with all these pricks?" he wondered.

Finally harvest time arrived and the two peasants went out to their fields. One began harvesting his rye. The other peasant just stood there looking at his field, which was covered with yard-long pricks—their red heads made it resemble a field of poppies. He shook his head and went home. When he got there he collected all his knives, ground them nice and sharp, then took some paper and string, and returned to his field. He began harvesting the pricks. He cut a couple at a time, wrapped them in paper, tied them with string and stacked them in the wagon.

When he had finished, he set off for town. "I'll see if I can sell a couple to some stupid woman," he thought. Going along the street, he shouted, "Who needs pricks? Wonderful pricks for sale! Pricks! Priiiicks!"

A certain noblewoman heard him and sent her maid out. "Go out and ask what that peasant is selling!"

The maid ran out. "Say, Mister, what's that you're selling?"

"Pricks, ma'am!"

When she returned, she was too embarrassed to tell her mistress. "Come on, tell me," said the woman, "don't be ashamed. What is he selling?"

"Well, ma'am, that rascal is selling pricks!"

"You little fool! Now you go run and find him and ask what kind of deal he'd give me for a couple of them."

The girl caught the peasant and asked, "What do you charge for a couple of those?"

"A hundred roubles, and that's final!"

As soon as the maid told the woman, she took out a hundred roubles. "Take this money—and be sure you get some that are nice and long and thick."

The maid took the money to the peasant and said, "Please give me the best you have."

"Don't worry, the whole crop was good!"

So the maid took a couple of nice ones and delivered them to her mistress. When the woman looked at them, she liked what she saw. She tried sticking one in, but it wouldn't go.

The Pike's Head

"Why didn't the peasant tell you how to operate these things?" she asked the maid.

"He didn't say anything, ma'am."

"You fool! You get yourself over there and find out!"

And off went the maid to the peasant. "Say, Sir, what do you do to get that merchandise of yours to perform?"

The peasant answered, "If you pay me another hundred, I'll tell you."

The maid went back to her mistress and told her what happened. "Even two hundred roubles wouldn't be too much to pay for something like this!"

The peasant took the hundred roubles and said, "If your mistress gets the desire, she has but to say 'giddy-up!' "

The lady plopped onto the bed, flung up her skirt and ordered, "Giddy-up!" Both pricks instantly attacked her and began working her over. She got scared when she couldn't get them to quit. She called her maid and screamed, "Go catch that son of a bitch and find out what to say to make these things stop!"

The maid took off as fast as she could run. "Please, what can we do to get those pricks to leave my mistress alone? They're ripping her to pieces!"

"If she gives me another hundred, I'll tell you!"

The girl ran home and found her mistress on the bed, barely alive. "Take the last hundred roubles in the dresser to that scoundrel. And be quick about it or I'm a goner!"

The peasant took the hundred and said, "All she has to do is say 'whoa!' and they'll stop."

When the maid got back her mistress was unconscious on the bed with her tongue hanging out. The maid screamed, "Whoa!" and both pricks retreated. The lady recovered a bit and got out of bed. She took the pricks and hid them. Her life definitely became more interesting from that day on. Whenever she got the urge, she would take the pricks out and they would thrill her until she screamed "Whoa!"

Once the lady set out to visit some friends in another village, and forgot to take her pricks with her. She was at her friends' house until evening, and began to feel bored. Her friends tried to persuade her to stay the night, but to no avail. The lady said, "I forgot to bring something with me... I just can't get to sleep without it!"

"Well, if you want, we can send a trustworthy servant to fetch this secret thing of yours."

The lady agreed, so they ordered a servant to saddle up a horse, go to the lady's house and bring back what she needed.

"Ask my maid," said the lady, "she knows where it's hidden."

When the servant arrived, the maid gave him the two pricks wrapped in paper. The servant stuck them in his back pocket, got back on his horse and set off. On the road back he had to go up a hill. No sooner had he said "Giddy up!" to the horse than the pricks jumped out of his pocket and began screwing him in the ass for everything they were worth. The servant was scared shitless. "What on earth! Where the hell could they have come from," he wondered. The servant was almost in tears he was so frightened. Just then the horse started downhill rather fast, and the servant yelled "Whoa!" The pricks immediately popped out of his ass. He grabbed them and wrapped them back up.

When he got back he handed them to the lady. "Well, did everything go all right?" asked she.

"Those goddamn things almost killed me! If there hadn't been a hill on that road, they would have fucked me all the way back home!"

THE WONDROUS OINTMENT

Once upon a time long, long ago there lived a peasant. He was a young fellow for whom things had not gone well at all: almost all of his cows and horses had died and he was left with one horse. He began to watch over this horse with great care. He barely took enough time to eat and sleep, and the horse soon became sleek and fat. Once as he was brushing and currying his horse, he began whispering in its ear, "Oh, my darling! My beauty! There is nobody more lovely than you!"

The neighbor's daughter, a rosy-cheeked maiden, overheard him and when all the village girls got together on the street, she said to them, "Oh, do you know what happened! I was standing in the garden and our neighbor Grigory was out grooming his horse. Then he climbed on her and started kissing her and whispering, 'Oh, my darling! My beauty! There is nobody more lovely than you!' "

The girls started making fun of the peasant. Whenever they met him, they would jeer, "Oh, my darling! My beauty!" It got to the point where the peasant was afraid to show his face. What a sorry sight he was!

When his old aunt saw him, she asked, "What ails you, Grigory? Why are you so down in the mouth?"

When he had told her the whole story, she said, "It's all right. I'll fix everything up. I wager they won't be laughing for long!"

The old woman was well known in the village for her home remedies. Sometimes the young girls would come to her cottage in the evening. One day that same girl who had spread the rumor that Grigory had fondled his horse showed up. The old woman spotted her and said, "Dearie, you'd better come see me tomorrow morning. I've got something to talk to you about."

"All right, ma'am."

The next day the young man arose, got dressed and went to his aunt's. "Now you have your tool ready to go! But right now go stand behind the stove and keep quiet until I call you," said the old woman.

No sooner had he gotten behind the stove, than the girl arrived. "Hello, Granny!"

"Morning, dearie. What I wanted to tell you is that I suspect someone has put a hex on you."

"But I feel healthy enough..."

"No, there's something hideous going on inside you. Even though you don't feel sick now, when it gets to your heart, there'll be no way to save you! You'll be a goner then! Here, let me feel your tummy."

"Oh, God, please go ahead!" said the girl, almost crying from terror.

The old woman began feeling her stomach and said, "Aha! I was right! As soon as I looked at you yesterday, I knew something was wrong. You've got a spot of jaundice near the heart."

"Please cure me, please!"

"I wouldn't turn away any sick person. But I wonder if you'll be able to stand it—it will be very, very painful."

"Do whatever you have to! Even if it takes a knife!"

"Well, stand over here and stick your head out the window. Try to notice which direction most of the people are coming from, the right or the left. Do not look back or the medicine will have no effect, and then you won't live another two weeks!" The girl stuck her head out the window and started watching for people. The old woman tossed up the girl's skirt and ordered, "Lean out the window a little more. And do not look back here! Now I'm going to start smearing you with an ointment." Then she whispered to Grigory, "Let her have it!"

He stuck his "swab" into her seven whole inches. As they climaxed the girl's ass began bobbing and she begged, "Please, Granny, put on some more of that ointment with the swab!"

The peasant finished with her then hid behind the stove. "Well, my dear," said the old woman, "now you'll have the chance to grow into a beautiful woman!"

The girl thanked her profusely. "I loved that ointment of yours! It was really wonderful!"

"All of my medicines are good. But this one is especially good for girls and women! By the way, which direction were most of the people on the street coming from?"

"From the right."

"What a lucky girl you are! Well, off with you now!"

When the girl had departed Grigory left. He had a good lunch, then took his horse to the river for water. The girl saw him, jumped up and taunted. "Oh, my darling! My beauty!"

Turning, he countered, "Oh, Granny, put on more ointment with that swab!" The girl bit her tongue. And after that they got along fine.

THE SOLDIER AND THE PRIEST

Once upon a time a soldier was overcome with a desire to fuck the priest's wife. The problem was how to go about it. He put on his uniform, took his rifle and went to the priest's house. "Well, Father," said the soldier, "a decree has been issued ordering us to fuck all priests in the land: so show me your ass-hole!"

"Oh, God, dear soldier, couldn't you make an exception in my case?"

"That's a fine thing to say! You want me to catch hell because of you!. Off with those trousers and down on all fours!"

"Have mercy, Sir! Couldn't you fuck my wife instead?"

"Well, maybe that could be arranged, but don't breathe a word of this to anyone or there'll be hell to pay! What will you give me? I won't do it for less than a hundred roubles."

"All right, take it, but just help us out of this predicament."

"Okay, now you go lie down in that wagon and have your wife climb right on top of you—then I'll crawl onto her and it will look like I'm fucking you!"

So the priest got into the wagon and his wife climbed on top of him. The soldier mounted her, lifted her skirt and began screwing the hell out of her. After a while the priest's cock was throbbing with excitement. It protruded, stiff and crimson, through a hole in the bottom of the wagon.

The priest's daughter, who stood there gawking at this spectacle, exclaimed, "What a soldier! He's stuck that gigantic prick clear through mommy and daddy—and you can still see the end of it!"

The Magic Fife

THE TWO WIVES

Once upon a time there were two merchants. Both were married and lived harmoniously with their wives. One day one of the merchants suggested, "Say, why don't we test our wives to find out which loves her husband the most."

"All right. But how should we go about it?"

"I have an idea. Let's go to the fair in Makaryevo. The wife who cries the most when we leave is the one who loves her husband the most."

When they were ready to leave, their wives saw them off. One of them broke into tears while the other simply bid farewell, and even laughed! They set off and, when they had gone about thirty miles, they started chatting.

"Your wife must really love you," said one of the merchants, "she was really bawling when we left, while mine just laughed."

The other merchant suggested, "Now that we've been gone a while, let's go back and see what our wives are doing without us."

"Good idea."

They arrived back at nightfall and entered town on foot. They sneaked up to the cottage of the merchant whose wife had wept so bitterly at their departure. They peered through the window—and there she was sitting with her lover, having a good time! Her lover poured a glass of vodka and tossed it off, then offered her some: "Here, darling. Down the hatch!"

She drank it down and said, "All right, honey, now I'm all yours!"

"That's just nonsense! All mine, indeed! How about your husband?"

She turned her ass to him and said, "The only thing that son of a bitch owns is my ass!"

Then they went to the house of the merchant whose wife had laughed when they parted. They crept up to the window and looked in. There she was kneeling before the icons and praying, "O Lord, grant that my spouse may return safely from his journey."

"Well," said one of the merchants, "now let's go to the fair to do some trading."

And indeed, they did get some good bargains. When they were ready to set off for home, they decided to buy their wives some presents. The merchant whose wife had been praying bought her some beautiful brocade for a coat. The other merchant bought his wife only enough brocade to cover her ass. "The only part that's mine is her ass! So I guess I'll need about a yard of brocade. After all, I should take pride in my possessions!"

When they got home, they presented the gifts to their wives. "Why did you just buy me this scrap?" asked the one wife crossly.

"Remember how you sat there with your lover, you bitch! And you said only your ass was mine. Well, I bought just enough brocade to cover that. So why don't you try sewing it to your ass and wearing it!"

THE GOOD FATHER

In a certain village there lived a jolly old man who had two lovely young daughters. They would often invite girl-friends to their parties in the evening.

It happened that the old man himself was quite partial to young women. At night after they had fallen asleep, he would always creep in, grope around, and whoever's skirt he got his hands on he would fuck. But the young women would always remain silent, as was the custom there.

So, it's small wonder that he managed to screw all the maidens, save his own daughters. Then one evening quite a number of girls came to the cottage. They were received and made merry, then all returned to their homes: one had to do the threshing early next day, while another had been ordered to spend the night at home. A third one had a sick father, and so forth. Anyway, they all went home.

Meanwhile the old man, snoring away in the loft, slept through supper and failed to notice that the girls had left. He woke up during the night, got down from the loft and began fumbling about the girls on their benches. And thus he came upon his elder daughter, pulled up her gown and gave her a proper fucking while she, still half-asleep, moved her hips in unison.

In the morning the old man arose and asked his wife, "Well, old woman, have our night-guests left?"

"What night-guests? All the girls went home yesterday evening."

"What are you talking about? Then who was it I fucked?"

"Who, indeed! Your elder daughter!"

The old man broke out laughing, and exclaimed, "Well, what the hell!

"Shut up, you old fart!"

"I'm laughing about our daughter. She really knows how to fuck!"

The younger daughter sat on a bench wrapping her feet. Lifting a foot to put on a sandal, she observed, "Why, wouldn't it be shameful if she *didn't* know how! What would people say about a girl of eighteen who couldn't do it properly!"

"That's right, it's her business to know how!"

THE FEARFUL BRIDE

Once two girls got into a conversation. "I don't know about you, but I am not going to get married," said one.

The other replied, "Why do you feel so strongly, we're not slaves or anything."

"But have you ever seen the tool we end up getting used on us?"

"Yes."

"Well, isn't it big and thick?"

"Oh, sometimes they're bigger than your arm."

"You think you could survive something like that?"

"Come on, I'll stick a straw up you—and even that will hurt!"

The stupid one lay down, while the smarter one began inserting a straw. "God, that hurts!"

One of the girls was forced to marry by her father. She endured it for two nights then paid her friend a visit. "Well, if I'd only known what it was going to be like, I would never have obeyed my father and mother. I thought I would die. God, I was scared!"

The other girl was so frightened that she didn't even want to hear about men. "I'm never getting married," she said, "unless my father forces me, and even then I would try to marry a eunuch!"

In this same village there was a young fellow who was very poor. He had no prospects of getting a good match, and yet he didn't want to take just anything that came along. Now this fellow had been listening to the girls' conversation. He thought to himself, "Dammit, I'll wait for the right moment, then lead them to believe I don't have a cock!"

Once, as the girl was on her way to church she spotted the young man driving an old nag to the water-hole. The sight of the old horse stumbling along made the girl laugh. When they came to a steep hill the horse tried to climb it but kept sliding back down. The fellow got mad, grabbed it by the tail and began beating it mercilessly, yelling over and over, "Get up or I'll skin you alive!"

"You rascal, why are you beating her like that?" said the girl.

He lifted up the horse's tail and said, "What can I do with a nag like this? I'd fuck the shit out of her, but I don't have a prick!"

When the girl heard this, she pissed her pants with joy and said to herself, "The Lord has finally sent me a man!" When she got home, she sat down in a corner and began to sulk. Soon it was dinnertime, but when they called her she pouted, "I don't want any!"

"Come on Dunya! Why the long face? You can tell me," coaxed her mother.

"Enough of this whining. Maybe you want to get married, hm?" asked her father.

The girl could think of nothing else but how to get herself married to this Ivan who, thought she, had neither prick nor balls. "I don't want to marry anyone, but if I *have* to get married, it'll have to be Ivan," she answered.

"You fool, have you gone crazy? The two of you will end up begging on the streets."

"Well, I guess that's my fate. If you won't let me marry him, I'll hang myself!" said Dunya.

Before that the old man hadn't paid any attention to poor Ivan, but now he found himself on his way to the young man's house to discuss marriage. "Hi, there, Ivan!"

"Hello, sir!"

"What are you up to?"

"I'm fixing some old sandals."

"Sandals? You ought to get some new boots."

"Well, I had a hard enough time just scraping up fifteen kopecks to buy the stuff for these sandals. How can I even think of boots?"

"But, Ivan, haven't you ever thought of getting married?"

"Now, who would let his daughter marry me?"

"If you want, I will! How about it?" And so they agreed on it.

When you're dealing with rich people, things move fast. Thus the couple was married. There was a great feast, then the best man led them off to their cottage and tucked them in.

Everyone knows what happens after that. Ivan pierced her till she bled—and she found herself having a change of heart. "Oh, what a fool I was," thought Dunya. "But then, I might as well have married a rich man!"

"Hey, dear, where did that prick come from!" she asked him.

"I borrowed it from my uncle for the night."

"Is there any way you could keep it for an extra night?" Another night passed and again she urged, "Dear, ask your uncle if you could buy his prick so we can keep it for good. And try to get a good deal on it."

"Hm... I guess I could try to strike a bargain with him," replied Ivan. He went to his uncle, made a secret agreement, and returned to her.

"How did it go?"

"What can I say! He wanted 300 roubles! I can't afford that! Where would I get that kind of money?"

"Well, go back and borrow the thing for one more night. Tomorrow we'll ask my father for a loan and buy it for keeps."

"No, you go ask yourself. I'm too embarrassed!"

So she went to the uncle's cottage, said a prayer and went in. "Hello, Uncle!"

"Hi, what's up?"

"Well, it's embarrassing, but I have to confess that we need your prick for another night."

The uncle thought for a while, looked down and said, "I can let you have it, but you've got to be careful when you're using someone else's prick!"

"Oh, we will be careful, Uncle! I swear to God we will! And tomorrow we'll be back to buy it from you."

"Fine. Just send Ivan over for it."

Then she bowed to him respectfully and returned home. The next day she went to her father and persuaded him to loan her husband the 300 roubles. And thus, she bought herself a real nice prick.

THE PIGLET

Once upon a time there was a very stupid priest who had a daughter so beautiful that she was simply a joy to behold. Now the priest hired a worker—a real strapping lad. He had worked for the priest about three months when the wife of a rich peasant in that village bore a child. The peasant visited the priest to ask him to baptize the infant: "Please, Father, come. And bring your wife!"

Now, everybody knows what these priests are like. They'll shit their pants at the prospect of easy money. So the priest hitched up his wagon and set off with his wife for the baptism.

The worker stayed home with the priest's daughter. He was getting hungry, and it happened that the priest's wife had put a couple of suckling pigs in the oven. "Hey," said the young fellow, "how about some nice roast pork? After all, your mother and father aren't here."

"Yes, let's!"

He went and got one of the pigs and the two of them ate the whole thing. "Let's hide the other one under your dress, and we'll finish it off later. And if your mother and father ask where they are, we'll say the cat ate them."

"But how are you going to hide it under my dress?"

"Don't worry about that, I know how!"

"Well, all right, go ahead then."

He had her bend over and get down on all fours, then he rammed his "meat" into her. "God, you really know how to hide something!" she exclaimed, "but how can I ever get that pig out of me?"

"Don't worry. Just sprinkle some feed on the ground in front of you and coax it out."

Thus the hired-hand put it to her and she became pregnant. As her belly swelled she started running outside more and more often. Whenever the child moved inside her, she thought it was the piglet! She would run out to the porch, raise her leg, sprinkle some feed and try to coax it out: "Here sooey, sooey, sooey!"

Her father noticed this and decided he better talk it over with his wife. "I bet our daughter's pregnant. We'd better find out what devil led her astray."

They called their daughter. "Anna, come over here! Why are you putting on so much weight?" She tensed up and became silent. What did they suspect her of?

"Come on, how did you get pregnant?" She was at a loss. "You little wench, why is your belly so big?!"

"Oh, Mommy, Mommy! I've got a little pig in my tummy. The hired-hand put it there!"

It suddenly dawned on the priest what had happened and he set out in pursuit of the worker, but by that time he was long gone.

THE HORNY NOBLEWOMAN

Once in a far off land there lived a rich peasant who had a son named Ivan. "Hey, Son, why don't you find a business to go into?" asked the father.

"All right. I know I could make good if you'd just give me a hundred roubles and your blessing." So his father gave him the money.

Ivan set off for town. Walking past a manor house, he caught sight of the mistress, who was quite good-looking, in the garden. He stopped and peered through the lattice.

"What are you hanging around here for, my good lad," queried the mistress.

"I was admiring you, ma'am. Gosh, you're really good-looking. I'd pay a hundred roubles if you'd show me your ankles."

"Sure, why not? Look all you like!" said the mistress, raising her hem slightly. He gave her the hundred roubles and returned home.

"Well, Son, what sort of business have you decided to take up?" asked the father. "What did you do with the hundred roubles?"

"I bought some land and lumber to build a shop. But I need another two hundred roubles to pay the carpenters for the job." His father gave him the money, and the son went back to that same garden.

The mistress saw him and asked, "Are you back again?"

"Let me in, ma'am: if you show me your knees, I'll pay you two hundred roubles."

She let him into the garden, lifted her skirt and displayed her legs. The lad gave her the money, bowed, and went home.

"How did it work out, Son?"

"Fine, Dad. But I need another three hundred to buy some goods for my store."

The father gave him three hundred roubles, but the son again headed for the woman's garden, stood there, and stared through the lattice.

"I think maybe I'll go take a look at this business of his," thought the father. So he followed and spied on him.

"What are you here for this time, my good lad?" asked the mistress.

The young man answered, "If I may be so bold as to suggest it, ma'am, permit me to run my prick over your cunt. I'll give you three hundred roubles."

"Come on in!" she replied, as she let him into the garden. She took the money and lay on the grass. The young man dropped his drawers and began passing his prick gently over the lips of her cunt. This excited her so much that the mistress pleaded, "Shove it inside! Please shove it in!"

But the lad wouldn't do it: "I only asked to caress the lips of your cunt."

"I'll give you back all your money," said the mistress.

"Nope," and he just kept caressing the lips of her cunt.

"I took six hundred from you, but will pay you twelve hundred if you'll just stick it inside!"

The father was taking all this in, and finally he lost all patience and bellowed from the lattice, "Take it, Son! Doubling your money is a good deal!"

The mistress heard him, tore herself loose and ran away. The lad was left without a kopeck. He started cussing his father: "Who asked you to butt in, you old fart!"

A JUDGEMENT REGARDING SOME COWS

In a certain village there lived a priest and a peasant. This priest owned seven cows, while the peasant had only one—and even that one was lame. But the priest turned a covetous eye on it and began scheming how to do the peasant out of his only cow: "Then I would have eight!" thought he.

One holiday everyone, including the peasant, went to mass. The priest came from the altar, took a book, leafed through it and commenced his sermon. "Harken, children. Whosoever shall give his holy pastor one cow shall be blessed by divine grace: that one cow shall bring back seven."

When the peasant heard this he thought, "Well, what good is only one cow to us! It doesn't even provide enough milk for the whole family. I'll heed the sermon and bring my cow to the priest. Maybe God really will take pity on us!" And so, as soon as mass was over, the peasant went home, tied a rope to his cow's horns, led it to the priest's, and presented it to him. "Hello, Father!"

"Hello, my Son. How are you doing?"

"I was at church today and heard what the Holy Scripture says: 'Whosoever shall give his father-confessor one cow shall receive seven.' Well, Father, I've brought Your Reverence a cow."

"That's fine, my Son, you've heeded God's word. God will reward you sevenfold. Now, Son, take it to the barn and put it with my cows." The peasant led his cow to the barn and returned home.

His wife really gave him hell: "You good-for-nothing! Why did you give our cow away? Do you want us to starve to death like dogs?"

"Don't be stupid," retorted the peasant, "didn't you hear what the priest said at church? If we just wait, our cow will bring back seven more. Then we can drink milk to our heart's content!"

The peasant survived the winter without the cow. Spring came and the people began driving their cows out to pasture. The priest took his out too. In the evening the herdsman drove them back to the village. The cows went to their respective homes, except the one which the peasant had presented to the priest. That one, by force of habit, returned to its former owner. But the priest's seven cows had become attached to it, so they followed it to the peasant's place.

The peasant looked out the window and said to his wife, "Why look, our cow has brought home seven others! The priest was right: God's word always comes true! And you were cussing me out! Now we'll have milk, and even meat." Then he ran out, drove all the cows into the shed, and locked them in securely.

The priest saw that it was already dark, but his cows had not returned. He went searching for them in the village. He came to the peasant and demanded, "Why, Son, have you driven my cows to your place?"

"What on earth do you mean? I don't have your cows, but only the ones which God gave me. My cow led back seven, just as you read in the sermon on the holiday—don't you remember?"

"You lying son of a bitch! Those are my cows."

"No, they're mine!"

They argued and argued, and finally the priest said to the peasant, "Well, to hell with you! You can take your cow back, but just give me mine!''

''Go fuck yourself!''

The only solution was to submit the matter for judgement. The case came before the archbishop. The priest gave him money, while the peasant paid him in cloth. But the archbishop was unable to decide in whose favor to judge. ''I can't make up my mind who is right,'' he said to them. ''But I have an idea. Go on home now, and whichever of you comes earliest tomorrow will get to keep the cows.''

The priest went home and said to his wife, ''You make sure to wake me up good and early tomorrow morning!''

But the peasant was nobody's fool, so he devised a cunning plan: instead of going home he hid under the archbishop's bed. ''I'll spend the whole night here,'' he thought to himself. ''And I won't go to sleep, so I'll be awake good and early. Then that priest will never see those cows again!''

The peasant lay beneath the bed listening. Suddenly there was a knock at the door. The archbishop jumped up, opened the door and inquired, ''Who's there?''

''It's me, the Mother Superior.''

''Well, lie down here on the bed, Mother.'' She lay down on the bed. The archbishop started fondling her tits and asked, ''Well, what have we here?''

''This, Holy Father, is Mount Zion. Below is the valley.''

The archbishop took hold of her navel. ''And what's this?''

''That's the hub of the universe.''

The archbishop lowered his hand even farther and felt the Mother Superior's cunt. ''And what's that?''

That's the Inferno, Father!''

''Well, Mother, I've got a sinner here who should be condemned to Hell.'' He mounted the Mother Superior, rammed his ''sinner'' into her and started fucking the daylights out of her. After giving the Mother Superior a thorough screwing, he escorted her out. In the meantime the peasant crept out quietly and went home.

The next day the priest arose at the crack of dawn and didn't even bother washing. He set off quickly to the archbishop. The peasant, on the other hand, had a good sleep. He woke up long after sunrise, took his breakfast, and started out leisurely.

When he arrived at the archbishop's the priest had been awaiting him for some time. "Well, brother, I suppose your wife didn't get you off on time," taunted the priest.

"Yes," said the archbishop to the peasant, "you arrived too late."

"No, Father, the priest came later. Don't you remember, I came just when you were crossing Mount Zion and putting the sinner into Hell!"

The archbishop threw up his hands and exclaimed, "The cows are yours, my dear peasant, they're all yours! You're absolutely right, you did indeed come earlier."

And so the priest left empty handed, while the peasant lived happily ever after.

ПОРОСЕНОКЪ
А ДРУГАГО ПОРОСЕНКА
ДАВАИ Я ЗАПРЯЧУ
ТЕБѢ ПОДЪ ПОДОЛЪ
ДА КАКЪ ЖЕ ТЫ ПОДЪ
ПОДОЛЪ СПРЯЧЕШЬ
УЖЪ НЕ ТВОЕ ДѢЛО !
Я ЗНАЮ КАК

The Piglet

A MAN DOES WOMAN'S WORK

Once upon a time there lived a man and his wife. Summer came and soon it was time to harvest the crops. Early every morning the woman would wake her husband and he would go out to the fields. She would stay home, fire up the stove, fix lunch and take it to him in the fields. She would join him and help harvest until evening, and then they would return home. The next morning the whole routine would start over again.

The man finally got fed up with all this, and when his wife woke him up and tried to send him out to work he refused and started swearing at her. "No, you old bitch! You go out there and I'll stay home for a change. I always have to go out early while you get to sleep in. By the time you come out to the field, I've worked my ass to the bone!" No matter how she tried to sway him, he stood his ground and refused to go.

"Today is Saturday," said the wife, "and there's loads of work to do around the house. I've got to wash shirts, grind millet for porridge, knead the bread dough and churn some butter for tomorrow..."

"I'll take care of everything," said the husband.

"Well, you see to it that you do! I'll get everything ready for you." So she brought him a big bundle of dirty shirts, flour for the dough, a jug of cream to make butter, millet for the porridge, and then she ordered him to watch over the hen and chicks. She herself took a sickle and went out to the field.

''I guess I'll get just a little more shut-eye,'' thought the peasant as he fell back into bed. He slept right up to lunch time and, when he awoke at noon, saw that there was tons of work to do. He didn't know where to begin. He took the shirts, tied them in a bundle and carried them down to the river. He stuck them in the water and left: ''I'll let them soak, then hang them out to dry,'' he thought. But the current in the river was strong and it carried the shirts off downstream.

When the peasant got home, he sprinkled some flour in the starter dough and poured in some water: ''I'll let it sit for a while,'' he thought. Next, just as he started grinding the millet, he noticed that the hen was wandering around the house and the chicks had scattered in all directions. He rounded up all the chicks and tied them together, looping a string around each one's leg, and tied them all to the hen. Then he went back to the millet. It suddenly occurred to him, however, that the jug of cream was still standing there waiting to be churned. He took the jug and tied it onto his ass: ''I'll grind the millet while the jug of cream is bouncing around on my butt. That way I'll get the millet and butter finished at the same time.''

It was about this time that the hen decided to take a stroll in the yard. Off she went, dragging the chicks behind her. Suddenly a hawk swooped down. The peasant heard the squawking and peeping and flew out to the yard, but on the way he smashed the jug against the door and it broke to pieces: the cream splashed every which way. And, as he ran out to save the chickens, he forgot to close the door. The pigs got into the cottage, upset the dough and gobbled it up. Then they found the millet and polished it off. The hawk made off with the chickens and when the peasant returned, the cottage was overrun with pigs and looked worse than a pigsty! He barely managed to chase them out.

The peasant wondered what to do. If his wife came back now, all hell would break loose. By the time he had the mess cleaned up, there wasn't much worth saving. Then he suddenly remembered the laundry. He hitched up the mare and drove down to the river, but when he got there all the shirts had disappeared. "I'd better look in the river." He got undressed and searched for them, but to no avail. He crawled back onto the bank only to find that someone had taken all his clothes! What a mess! No clothes to put on! He would have to go into the village naked.

He had an idea: "I'll pick some long grass and wrap it around my prick. Then it won't be so embarrassing." He plucked some green grass and wrapped his cock in it. But when he was untying the horse's reins, the horse spotted the grass, sunk his teeth into it and bit the peasant's prick right off. The peasant let out a blood-curdling scream. He barely made it back to the cottage, slinked into a corner and just sat there.

"Well, did you get everything done?" asked his wife.

"Yes, my dear."

"Where are the shirts?"

"Well, they floated downstream."

"What about the hen and chickens?"

"A hawk got them."

"And the dough? The millet?"

"The pigs ate them."

"And the cream?"

"I spilled it all."

"Where the hell's your prick?"

"The mare ate it."

"Boy, what a fine job you did, you son of a bitch!"

THE DESERTER

One night a soldier who had deserted the army crept into a peasant's barn and up into the hayloft to get some sleep. Just as he was falling asleep he suddenly heard someone coming. The soldier got scared and hid right up under the roof. A maiden came in, followed by a young man. They had brought some wine and food with them which they put in the corner. They proceeded to strip, then began kissing and caressing each other. The young fellow flipped the girl over in the hay and started fucking her. The girl's hips swayed rhythmically to his thrusting and soon she was moaning, "Oh, you're so good! God willing, I'll bear you a child. But I wonder who'll look after it? Who'll take care of it?"

The young man answered, "He, Who is above."

When the soldier heard this, he couldn't stand it any more and blurted out, "You damn pigs! You lie there fornicating, and I'm supposed to be responsible for your kid!"

The fellow sprang from the girl and took off running, the maiden close behind. Then the soldier climbed down, gathered up the clothing, wine, and food, and went his way.

A PEASANT HATCHES EGGS

There once was a lazy peasant who had an industrious wife. The woman would go out and till, while the man would just lie around on the hearth all the time.

Once when she went out to plough, her husband stayed home to cook and tend the chickens. But, as usual, he just didn't do anything. He fell asleep and when he awoke the chicks were gone: a crow had carried them off. There was only one hen running about, clucking away. But the peasant couldn't care less.

When the mistress came home, she asked, "Well, where are the chicks!"

"Oh, my dear wife, an awful thing happened. I fell asleep and a crow carried them all off."

"Why, you stinking dog! You son of a whore, you can just sit on the eggs and hatch them yourself."

The next day the woman went to the field; the peasant took a basket of eggs, put it on a bench, tossed off his pants, and sat on the eggs. Then the woman, who was nobody's fool, borrowed a uniform coat and cap from a retired soldier. She dressed herself up, went home and shouted at the top of her lungs, "Hey, Mister, where are you?" The peasant climbed off the bench and crashed, together with the eggs, to the ground.

"What are you doing?"

"I'm keeping house, Mister Soldier."

"Why? Don't you even have a wife?"

"Yes, but she works in the field."

"Why are you sitting around home?"

"I'm hatching chicks."

"Why, you son of a bitch!" The soldier gave him the lash as hard as he could and ordered, "Don't you sit at home hatching chicks! Go to work! Get out there and do the ploughing!"

"I will, Sir, I'll work and plough, I swear to God I will!"

"You lying bastard!" And the woman just kept beating him. Then she raised her leg: "Look at this, you son of a bitch! I was wounded in battle. Well, does it look like it's healing or not?"

The peasant looked his wife in the cunt and said, "Oh yes, it's healing up just fine, Sir."

The woman left and changed back to her female attire. When she returned home, her husband was sitting there groaning. "What are you moaning about?"

"Well, some soldier came and beat the hell out of me with his whip."

"What for?"

"He ordered me to go to work."

"It's high time! I'm sorry I wasn't here. I'd have had him give you a couple more lashes for good measure."

"Well, that's all right, 'cause he's going to die."

"Why is that?"

"Well, he was in a battle, and right between his legs... He showed me his wound and asked whether it was healing. I said it was healing up fine. Actually, it was real red and there was moss growing all over it."

From that day on the peasant labored and ploughed, while the woman kept house.

THE PEASANTS AND THE NOBLEMAN

Once upon a time a nobleman came to church on a holiday. As he was standing there in prayer, suddenly a peasant stood in front of him and let a silent fart that almost suffocated him. "What a stench that son of a bitch made!" thought the nobleman. He went up to the peasant, took out a silver rouble coin and, holding it in his hand, said, "Say! What a marvelous fart! Was that your doing?"

When the peasant saw the money he answered, "Yes, Sir, it sure was."

"Well, here, take this money for a job well done!" said the nobleman.

The peasant thought to himself, "This guy must really like farts. I'd better come to church every holiday and stand right next to him. Maybe he'll give me a rouble each time."

The church service ended and everyone went home. The peasant went right over to his neighbor's and told him what had happened. "Well," said the neighbor, "as soon as the next holiday comes, let's both go to church. With two of us there we can really stink the place up! He'll pay both of us!"

The next holiday arrived and off they went to church. They stationed themselves next to the nobleman, and soon the stench of farts was wafting through the whole church. The nobleman came up to them and asked, "Say, fellows, was that you who farted so nicely?"

"Yes, Sir!" answered the peasants.

"Wonderful! It's a pity I don't happen to have any money with me now. But as soon as the service is over, you two go home and have a big dinner. Then you can come over to my house and let some nice big farts and I'll pay you then for the whole job."

"You bet, Sir! You can depend on us!" said the peasants. As soon as the service was over the peasants went home, stuffed themselves and went right over to the nobleman's.

The nobleman, however, had a surprise in store for them. He greeted them and said, "Well, so you're here to let some farts?"

"That's right, Sir!" responded the peasants.

"I appreciate your coming," said the nobleman, "but you'd better take some of those clothes off, or else the smell may not get through very well."

Off came their coats and shirts and pants. The nobleman signalled his servants who ran out, grabbed the peasants, held them down and began thrashing them. Five hundred whacks for each one! Finally they broke away and ran off home without bothering to pick up their clothes.

THE FOX AND THE HARE

One fine spring day a hare was anxious to go out and sow some wild oats. Although he felt a bit weak, he could still run nimbly through the fields. As he was going through the forest, he got a notion to drop in on the fox.

When he approached her cottage, the fox was sitting on the hearth, while her children played near the window. She spotted the hare and quickly ordered the children, "Hey, if that stupid hare starts asking for me, tell him I'm not at home! I don't want to see that devil. I'm still mad at him. Maybe I can figure out a way to catch him." So she hid.

When the hare came up and knocked the children asked, "Who's there?"

"It's me," said the hare, "good day, children! Is your mother at home?"

"No, she's out!"

"Too bad. I was going to screw her, but if she's out..." Then the hare ran off into the forest.

The fox overheard all this and yelled, "Oh, that son of a bitch! That no-good bastard! Just wait, I'll fix his wagon!" She got up from the hearth and stood quietly behind the door, hoping the hare would come again.

Suddenly the hare did return. He asked the children, "Is your mother back yet?"

"No, she isn't!"

"Too bad! I was really going to put it to her!"

All at once, out jumped the fox: "Hello there, Mister Hare!"

Suddenly the hare was no longer in the mood for love. He ran until he was completely out of breath and turds began sprinkling out his ass. The fox, right behind him, screamed, "You bastard, this time you won't get away!" Just as the fox was about to catch him, the hare sprang between two birch trees growing close together. But when the fox tried this, she got wedged between them. The hare glanced back and saw the fox struggling desperately to get free. He knew his chance had come. He ran around behind the fox and started fucking her, repeating over and over, "This is how we do it where I come from!" He finished taking his pleasure and ran off down the road.

On the road there was a pit where peasants made charcoal. The hare jumped in and covered himself with coal dust. When he emerged he looked very much like a monk. He went back to the road and sat there, his ears drooping.

In the meantime the fox had freed herself and ran off to look for the hare. When she finally spotted him, she mistook him for a monk. "Hello, Holy Father! Did you see a hare come by here?"

"Which one? The one that fucked you a while ago?"

The fox turned red with shame and ran off home. "That scoundrel! He's already ruined my reputation in all the monasteries!"

They say the fox is clever, but the hare really put it to her this time!

THE DOG AND THE WOODPECKER

Once upon a time there was a peasant couple who never had to work for a living. They had a dog who had always provided for them. But then came the time when the dog was too old to help. It barely managed to find even enough for itself.

"Listen," said the old woman, "take the dog out into the forest and leave him there. Let him go wherever he will. There was a time when the dog was able to hunt for us, so we could afford to keep him. But now he's of no use to us." So the old man took the dog out into the forest and abandoned him.

One day the dog was walking along through an open field. He was afraid to go home, lest the old man and woman beat him. After walking for some time he sat down and began howling at the top of his lungs. A woodpecker flew by and asked, "Why all the howling?"

"I can't help it, Woodpecker. When I was young I used to help my masters find food. But now I'm old, so they've thrown me out. I don't know where to live out the rest of my days."

"Come along to my place. If you'll guard my tree and my children, I'll feed you." The dog agreed and ran off after the woodpecker.

The woodpecker flew into the forest, to a hole in an old oak where she nested. "You station yourself here by the tree," said the woodpecker, "and don't let anyone come near. I'll go out and look for some food." The dog sat down near the tree, and off flew the woodpecker.

As she was flying along the woodpecker caught sight of some women carrying baskets along the road; they were taking lunch to their husbands in the fields. She flew back to the oak and said, "Come with me, Dog. Some women are carrying pots just loaded with food to the fields. You hide behind a bush. I'll get myself all wet and roll around in the sand. Then I'll flutter around in front of the women on the road and pretend I can't fly. When they chase after me and try to catch me, they'll put their baskets down. Then you run in and eat everything you want."

The dog followed the woodpecker and hid behind a bush. The woodpecker rolled in the sand then began to flutter all over the road. "Look," said the women, "that woodpecker is all wet and can't fly. Let's get him!" They dropped their baskets and chased the woodpecker. When she had led them far enough into the forest, she rose up and flew away. In the meantime, the dog ran out from behind the bush and ate everything in the baskets. When the women returned they found their empty baskets strewn along the road and, unable to think of anything else to do, picked up the baskets and returned home.

The woodpecker caught up with the dog and inquired, "Well, are you full?"

"I sure am!"

"Then let's go home." The woodpecker flew off and the dog followed.

On the way back they came upon a fox. "Catch that fox!" yelled the woodpecker. The dog took off in pursuit, and the fox ran as fast as it could. Just then a peasant drove by in a wagon loaded down with a barrel of tar. The fox headed toward the wagon and ran right through the spokes of the wheel. But when the dog tried this, he got caught in the spokes and was crushed to death.

"All right, Mister Peasant," said the woodpecker, "you

killed my dog, and I'm going to make you pay for it!'' She landed on the wagon and started pecking a hole in the bottom of the tar barrel. The peasant drove her away, so she landed on the horse's head and began pecking right between its ears. When the peasant tried to shoo the woodpecker away from the horse, she attacked the barrel of tar again. Soon all the tar in the barrel had leaked out through the hole. Then the woodpecker threatened, ''This is just a taste of what you're going to get!'' and began pecking the top of the horse's head again. The peasant took a log and hid behind the wagon. He waited for just the right moment, then swung with all his might. He missed the woodpecker but delivered a fatal blow to the head of his horse.

The woodpecker then flew off to the peasant's hut and entered through a window. The peasant's wife was lighting the stove and their child was sitting nearby on a bench. The woodpecker landed right on the child's head and began pecking away. The wife tried to drive her away, but to no avail. That mean woodpecker just kept on pecking. She grabbed a stick and swung at the bird, but missed and hit her child. She finally caught the bird and placed her under a sieve.

The woman greeted her husband when he arrived home. ''Well, dear,'' said the husband, ''I had some trouble on the road.''

''Well, I've had my share of problems too,'' said the wife. And each told the other about the events of the day.

''Where is that woodpecker now? Did he get away?'' asked the husband.

''I caught it and put it under that sieve.''

''Good! I'll get even! I'll eat it alive.'' He lifted the sieve but, just as he was about to bite into the woodpecker, she flew straight into his mouth and fluttered headfirst all the way inside him. She stuck her head out of the peasant's ass-hole and screeched, "I'm still alive! I'm still alive!" then hid again. Time after time the woodpecker's head would pop out, and then would come the screeching. She gave the man no peace at all.

Realizing that he was in a real fix, he said to his wife, "Take ahold of that log. I'll get down on all fours, and as soon as that woodpecker sticks its head out, smash it with the log." He got down on all fours. His wife took the log and, as soon as the woodpecker appeared, she took a swing—but missed. She delivered a resounding blow to her husband's ass instead.

The peasant was beside himself. There seemed to be no way he could rid himself of this woodpecker. It kept sticking its head out and screeching, "I'm still alive!"

"Take a sharp scythe," said the peasant to his wife, "I'll get down on all fours again, and as soon as it sticks its head out, you whack it off with the scythe." The wife took a sharp scythe and the peasant got himself into position. As soon as the bird stuck its head out the wife swung the scythe for all she was worth. She didn't succeed in decapitating the bird, but instead chopped off her husband's ass. The woodpecker flew off, leaving the peasant to bleed to death.

THE HUNTER AND THE FOREST-GOBLIN

Once a hunter was wandering through the forest and could find no game to kill. He picked up some nuts and started cracking them. A forest-goblin happened along and asked, "Say, could I have some of those nuts?" But the hunter handed him a bullet instead. The goblin tried and tried to crack it in his teeth. Finally he gave up and sighed, "I just can't do it!"

The hunter replied, "Well, have you been castrated?"

"No..."

"Well, that's obviously the reason! Let me castrate you so you'll be able to crack these nuts."

The goblin agreed, so the hunter took his prick and balls and pinched them between two aspens. "Let go!" yelled the goblin. "I don't want any of those nuts!"

"Oh yes you do, just you wait!" He cut off the goblin's balls, then released him and handed him a real nut to eat. The goblin was able to crack it right away. "Well, I told you you'd be able to do it!"

The hunter then set off in one direction, the goblin in the other, all the time threatening, "Just wait until the time comes to dry your grain. Then I'll get even!"

When the hunter got home he sat down on a bench and said to his wife, "I'm tired, dear, would you go and start drying the grain?"

The wife went out to the barn, built a fire and lay down by a wall. Two forest-goblins strolled by and spotted her. "Let's set fire to that barn!"

"Okay, but first let's see if he has the same kind of wound as that guy gave you." They took a peek, and one of them exclaimed, "Wow! He's got one even bigger than yours. Look at what a mess it is! It's bigger than a hat and all red!"

And so they went on their way, back to the forest.

THE PRIEST GETS CAUGHT

Once upon a time in a certain village there was a peasant who was a butcher by trade. He would slaughter his cattle and sell the meat, which he stored in a shed. Now, there was a window in this shed where dogs and cats would sneak in to drag off pieces of meat. And so the peasant set a trap in the window.

One day the priest's dog got caught in the trap and was killed. The priest was sorry to lose the dog, but there was nothing he could do about it. He bought another one, but soon began to worry: "What if this one gets caught too?"

For a long time he thought about the problem. He wanted to get even with the peasant. And so he went to the shed, took off his trousers, climbed onto the window sill and took a shit into the trap. Bang! The trap snapped shut right on the priest's balls, and he screamed to high heaven.

The peasant came running and yelled, "Goddamn, how the hell did you get here? You priests are really stupid!"

Soon some people gathered and managed to free the priest, but it was too late: he collapsed and died.

THE BEAR AND THE PEASANT WOMAN

Once, as a peasant woman was plowing a field, a bear spotted her and thought to himself, "Why haven't I ever challenged any of these womenfolk? I wonder if they're stronger than their husbands? I've cracked the skull of many a peasant, but never had a run-in with any of their women." So he ambled up to the woman and challenged her, "Let's fight!"

"But, Mister Bear, what if you split me open?" retorted the woman.

"Well, if I hurt you, I'll bring you a hive of honey," answered the bear.

So they went at it. The bear grabbed her with both paws and slammed her to the ground. Her legs went flying up in the air and she grabbed hold of her cunt, screaming, "What have you done! How can I show my face at home now? What am I going to tell my husband?"

The bear stood there gawking: it was indeed a nasty hole. It seemed he had torn her wide open. As the bear was considering what to do, a hare darted by. "Wait, Mister Hare, come here!"

The hare ran over. The bear grabbed the woman by the lips of her cunt and pulled them together. Then he ordered the hare to hold them in place while he ran into the forest to collect some strips of bark. He was going to sew the woman up. He brought the strips and tossed them down on the ground.

The woman was so frightened that she let an enormous fart, and the hare was blown six feet into the air. "Wow, she's really split wide open, Mister Bear!" said the hare.

"She'll probably come all to pieces now," said the bear, and he hastily made his escape.

THE SPARROW AND THE MARE

Once upon a time a flock of sparrows were sitting in a peasant's yard. One of the sparrows began bragging to the others, "That gray mare has fallen in love with me. She can't take her eyes off me. Would you like to see me screw her right before your eyes?"

"Yeah," they answered.

So the sparrow flew over to the mare and said, "Hello, Miss Mare!"

"Hello, Mister Sparrow. What can I do for you?"

"Well, I'd like to ask you for a ..."

"I see. Here in the country we have a custom: when a boy loves a girl, he brings her gifts, like nuts and cakes. What are you going to give me?" said the mare.

"Just tell me what you'd like."

"Well, I'd like you to bring me a bushel of oats, one grain at a time. That will begin our courtship."

The sparrow worked long and hard, and when finally he had completed his task, he flew up and said, "Well, Miss Mare, your oats are ready!" His heart was fluttering with excitement. He was at once thrilled and scared to death.

"Fine," she answered, "let's get the ball rolling. I can't be a virgin all my life. At least I'm getting it from a fine young lad. Bring the oats and call your friends together. I won't hold your past affairs against you. Now you sit here, right next to my ass, and wait until I lift my tail."

The mare began eating the oats, while the sparrow sat on her ass. His friends were taking all this in, waiting to see what would happen next. The mare ate for a while, then farted and raised her tail. The sparrow fluttered up her ass-hole, and the mare held him in with her tail. It was no fun in there—he thought he would die! The mare went on eating and finally let a loud fart which blew the sparrow out of her ass. The sparrow started bragging to his friends, "See! We sparrows really know how to do it! She couldn't take it any longer—she even farted!"

РУССКІЯ

ЗАВѢТНЫЯ

СКАЗКИ

„Молимъ со умиленіемъ, аще кая неблагоискусна словеса и неблагостройна или поползновенна нѣкая погрѣшенія въ книзѣ сей обрящутся не посуждати, ни поносити, люботруждьшиися..."

Апологіонъ — 1643.

Второе изданіе

ВАЛААМЪ

Тупарскимъ художествомъ монашествующей братіи

Годъ мракобѣсія.

A NOTE ABOUT THE RUSSIAN TEXTS

The Russian texts have been set in the new orthography. While some spellings which might provide dialectal information have been preserved (e.g. што for что), variant spellings which are used inconsistently within a text (e.g. the particle -ка/-ко) have been normalized in accordance with current usage. Missing letters have been restored in italics (e.g. расспрашивать for распрашивать).

As mentioned in the foreword, some tales (particularly the anticlerical entries) in *Russkie zavetnye skazki* have been omitted from the present edition since they may be found even in Soviet publications. The latest edition of *Narodnye russkie skazki* (Literaturnye pamiatniki; Moscow: Nauka, 1984-85, vol. 3) contains several tales from the Geneva edition (including, in expurgated form, some tales which appear below) and from a manuscript preserved under Afanasiev's name at the Institute of Russian Literature, Leningrad ("Narodnye russkie skazki ne dlia pechati"); tales from the Geneva edition include (in the order presented) nos. XXXVIII, LXXVI, XLXIX, L, XLII, LXXIV, XLVIIIa-b, XLIV, LXVIIIa, LIX, LV, LIII, LXXVII, XXIII, XXVIII, XXXV, and XXII.

ПРЕДИСЛОВИЕ

«Honni soit qui mal y pense».

Издание наших *заветных* сказок в том виде и последовательности, в которых мы предлагаем их любителям русской народности, едва ли не единственное в своем роде явление. Легко может быть, что именно поэтому наше издание даст повод ко всякого рода нареканиям и возгласам не только против дерзкого издателя, но и против народа, создавшего такие сказки, в которых народная фантазия в ярких картинах, и нимало не стесняясь выражениями, развернула всю силу и все богатство своего юмора. Оставляя в стороне все могущие быть нарекания собственно по отношению к нам, мы должны сказать, что всякий возглас против народа был бы не только несправедливостью, но и выражением полнейшего невежества, которое по большей части, кстати сказать, составляет одно из неотъемлемых свойств кричащей pruderie. Наши заветные сказки единственное в своем роде явление, как мы сказали, особенно потому, что мы не знаем другого издания, в котором бы в сказочной форме била таким живым ключом неподдельная народная речь, сверкая всеми блестящими и остроумными сторонами простолюдина.

Литературы других народов представляют много подобных же *заветных* рассказов, и давным давно уже опередили нас и в этом отношении. Если не в виде сказок, то в виде песен, разговоров, новелл, farces, sottises, moralités, dictons и т.п., другие народы обладают огромным количеством произведений, в которых народный ум, также мало стесняясь выражениями и картинами, пометил юмором, зацепил сатирой и выставил резко на посмеяние разные стороны жизни. Кто сомневается в том, что игривые рассказы Боккаччо не почерпнуты из народной жизни, что бесчисленные французские новеллы и facéties XV, XVI и XVII веков — не из того же источника, что сатирические произведения испанцев, Spottlieder и Schmähschriften немцев, эта масса пасквилей и разных летучих листков на всех языках, являвшихся по поводу всевозможных событий частной и общественной жизни — не народные произведения? В русской литературе, правда, до сих пор есть еще целый отдел народных выражений не печатных, *не для печати.* В литературах других народов издавна таких преград народной речи не существует. Не восходя к классической древности, разве *Ragionamanti* – P. Aretino, *Capitoli* Franc. Berni, Giov. della Casa, Molza, *La Rettorica delle Puttane* – Pallavicini, *L'Alcibiade fanciullo a scola* и произведения других итальянских писателей, далее книга Меурсия — *Elegantiae latini sermonis*, целый ряд известных во французской литературе: Joyuesetez, facéties et folastres imaginations,[1] знаменитый *Recueil de pièces choisies par les soins du Cosmopolite*, разве весь этот поток Flugschriften, о которых говорит Schade: «die damals wie eine Fluth übers Land fuhren»,[2] — не доказывают ясно, что печатное слово не считало нужным прикрываться дымкой стыдливой pruderie и виноградным листом цензурного письма? Нужно ли при этом упоминать о *макаронических* произведениях, пользующихся такою честью от великолепного Лаврентия Медичиса и до Медичисов нашего времени? Нужно ли наконец заметить, что не одним только библиофилам известны целые отделы, предмет которых описывают специальные библиографии, в роде *Bibliotheca scatologica* (Scatopolis, 5850), отделы, известные в книжном мире под именем: Singularités, Curiosa, Erotica, Ouvrages sur l'amour, sur la galanterie и т. д.?

Итак, обвинение русского народа в грубом цинизме равнялось бы обвинению в том же и всех других народов, другими словами — само собой сводится к нулю. Эротическое содержание заветных русских сказок, не говоря ничего за или против нравственности русского народа, указывает просто только на ту сторону жизни, которая больше всего дает разгула юмору, сатире и иронии. Сказки наши передаются в том безыскуственном виде, как они вышли из уст народа и записаны со слов рассказчиков. Это-то и составляет их особенность: в них ничего не тронуто, нет ни прикрас, ни прибавок. Мы не будем распространяться о том, что в разных полосах широкой Руси одна и та же сказка рассказывается иначе. Вариантов таких, конечно, много, и большая часть их, без сомнения, переходит из уст в уста, не будучи еще ни подслушана, ни записана собирателями. Приводимые нами варианты взяты из числа наиболее известных, или наиболее характеристичных почему-либо.

О последовательности, в какой являются наши сказки, мы считаем даже излишним распространяться. Заметим только по этому поводу, что та часть сказок, где действующие лица животные, как нельзя более рисует всю сметливость и всю силу наблюдательности нашего простолюдина. Вдали от городов, работая в поле, в лесу, на реке, он везде глубоко понимает любимую им природу, верно подсматривает и тонко изучает окружающую его жизнь. Живо схваченные сто-

---

[1] См. Réimpressions par Caron, Montaran, Techener, Veinant, J. Gay и других.

[2] Sie kennzeichnen sich fast alle durch ein scharfes satirisches Element, beispiellosen Freimuth, mitunter durch grosse Derbheit u. s. w. (Satiren u. Pasquille von Oscar Schade).

роны этой немой но красноречивой для него жизни сами собой переносятся на его собратий — и полный жизни и светлого юмора рассказ готов. Отдел сказок о так называемой народом *«жеребячьей породе»*, из которых пока мы приводим только небольшую часть, ярко освещает и отношения нашего мужичка к своим духовным пастырям и верное понимание их.

Любопытны наши заветные сказки помимо многих сторон и в следующем отношении. Важному ученому, глубокомысленному исследователю русской народности, они дают обширное поле для сравнения содержания некоторых из них с рассказами почти такого же содержания иностранных писателей, с произведениями других народов. Каким путем проникли в русские захолустья рассказы Боккаччо, сатиры и фарсы французов XVI столетия, как переродилась западная новелла в русскую сказку, в чем их общая сторона, где и пожалуй даже с чьей стороны следы влияния, какого рода сомнения и заключения из очевидности подобного тождества и т. д., и т. д.

Предоставляя решение всех этих и иных вопросов нашим патентованным ученым, мы и без того надеемся, что наши читатели помянут добрым словом труды почтенных собирателей этих сказок. Мы же со своей стороны, издавая это редкое собрание с целью спасти его от гибели, равно чужды, смеем думать, как хвалы так и порицаний.

Таким образом, не принимая лицемерно ученой наружности, книга наша является случайным и простым сборником той стороны русского народного юмора, которому до сих пор не было места в печати. При диких условиях русской цензуры, ее кривом понимании нравственности и морали, книга наша тихо печаталась в той отдаленной от треволнений света обители, куда еще не проникала святотатственная рука какого бы то ни было цензора. Мы не можем при этом не высказать одного из наших задушевных желаний: да последуют и другие тихие уголки нашей отчизны примеру нашей обители. Пусть разовьется в них, чуждое всякой цензуры, благородное искусство книгопечатания, — и да выйдут из рук трудящейся братии, сойдут с заветных станков их, всякое свободное слово, всякая заветная речь, к какой бы стороне русской жизни ни относились они.

Прибавим в заключение, что впоследствии мы намерены также издать: *русские заветные пословицы* и продолжение *русских заветных сказок.* Имеющиеся в наших руках материалы приводятся в порядок. Изданием их мы надеемся оказать услугу как вообще делу изучения русской народности, так и в особенности нашим собратиям — истинным любителям и знатокам всего заветного, меткой, образной русской речи и ее светлого юмора.

Филобибл.

ЛИСА И ЗАЯЦ

Пришла весна, разыгралась у зайца кровь. Хоть он силой и плох, да бегать резов и ухватка у него молодецкая. Пошел он по лесу и вздумал зайтить к лисе. Подходит к лисицыной избушке, а лиса на ту пору сидела на печке, а детки ее под о-кошком. Увидала она зайца и приказывает лисиняткам: «ну, детки! коли подойдет косой да станет спрашивать, скажите, что меня дома нету. Ишь его чорт несет! Я давно на него, подлеца, сердита; авось теперь как-нибудь его поймаю». А сама притаилась. Заяц подошол и постучался. «Кто там?»— спрашивают лисинятки. «Я, — говорит заяц; — здравствуй-те, милые лисинятки! дома ли ваша матка?» — «Ее дома не-ту!» — «Жалко! было еть — да дома нет!» — сказал косой и и побежал в рощу. Лиса услыхала и говорит: «ах, он сукин сын. косой чорт! охаверник эдакой! погоди же, я ему задам зо-рю!» Слезла с печи и стала за дверью караулить, не придет ли опять заяц. Глядь — а заяц опять пришол по старому следу и спрашивает лисинят: «здравствуйте, лисинятки! дома ли ваша матка?» — «Ее дома нету!» — «Жаль, — сказал заяц, — я бы ей напырял по-своему!» Вдруг лиса как выскочит: «здравствуй, голубчик!» Зайцу уж не до ебли, со всех ног пу-стился бежать, ажно дух (в ноздрях) захватывает, а из жопы орехи сыплются. А лиса за ним. «Нет, косой чорт, не уй-дешь!» Вот-вот нагонит! заяц прыгнул и проскочил меж двух берез*, которые плотно срослись вместе; и лиса тем же сле-дом хотела проскочить, да и завязла†: ни туда, ни сюда! би-лась-билась, а вылезть не сможет. Косой оглянулся, видит — дело хорошее, забежал с заду и ну лису еть, а сам приго-варивает: «вот как по-нашему! вот как по-нашему!» Отрабо-тал ее и побежал на дорогу, а тут не далечко была угольная яма — мужик уголья жег — заяц поскорей к яме, вывалялся весь в пыли да в саже и сделался настоящий чернец. Вышел на дорогу, повесил уши и сидит. Тем временем лиса кое-как вы-бралась на волю и побежала искать зайца; увидала его и при-няла за монаха. «Здравствуй, — говорит, — святый отче! не видал ли ты где косого зайца?» — «Которого? что тебя да-вече еб?» Лиса вспыхнула со стыда, и побежала домой: «ах, он подлец! уж успел по всем монастырям расславить!» Как лиса ни хитра, а заяц-то ее попробовал!»

---

* *Вар.* Меж развалинами березы.
† *Вар.* Пошол заяц в лес, увидал лису и стал с нею разговаривать: говорить-то говорит, а сам норовит, у него хуй как рог стоит. На такое дело он ловок, да попросить-то робок. Дождался заяц удобного времени, когда лиса завязла как-то между березами.....

ВОРОБЕЙ И КОБЫЛА

У мужика на дворе сидела куча воробьев; один воробей и начал пред своими товарищами похваляться: «полюбила, — говорит, — меня сивая кобыла, часто на меня посматривает; хотите ли, отделаю ее при всем нашем честном собрании?» — «Посмотрим», — говорят товарищи. Вот воробей подлетел к кобыле и говорит: «Здравствуй, милая кобылушка!» — «Здравствуй, певец! какую нужду имеешь?» — «А такую нужду — хочу попросить у тебя.....» Кобыла говорит: «Это дело хорошее; по нашему деревенскому обычаю, когда парень начинает любить девушку, он в ту пору покупает ей гостинцы: орехи и пряники. А ты меня чем дарить будешь?» — «Скажи только, чего хочешь». — «А вот: натаскай-ка мне по одному зерну четверик овса; тогда и любовь у нас начнется». Воробей изо всех сил стал хлопотать, долго трудился и натаскал-таки наконец целый четверик овса. Прилетел и говорит: «Ну, милая кобылушка! овес готов!» — а у самого сердце не терпит — и рад, и до смерти боится. «Хорошо, отвечала кобыла; откладывать дела нечего, вить истома пуще смерти, да и мне век честною не проходить, по крайней мере от мóлодца потерпеть не стыдно! приноси овес, да созывай своих товарищей — быль молодцу не укора! а сам садися на мой хвост, подле самой жопы, да дожидайся, пока я хвост подыму». Стала кобыла кушать овес, а воробей сидит на хвосте; товарищи его смотрят, что такое будет. Кобыла ела, ела да и забздела, подняла хвост, а воробей вдруг и впорхнул в зад. Кобыла прижала его хвостом; тут ему плохо пришлось, хоть помирай! Вот она ела, ела да как запердела; воробей оттуда и выскочил, и стал он похваляться пред товарищами: «вот как! небось, от нашего брата и кобыла не стерпела, ажно запердела».

МЕДВЕДЬ И БАБА

Пахала баба в поле; увидал ее медведь и думает себе: «Что я ни разу не боролся с бабами! сильнее она мужика, или нет? Мужиков довольно таки я поломал, а с бабами не доводилось повозиться». Вот подошол он к бабе и говорит: «давай-ка поборемся!» — «А если ты, Михайла Иванович, разорвешь у меня что?» — «Ну, если разорву, так улей меду принесу». — Давай бороться! Медведь ухватил бабу в лапы, да как ударит ее об земь — она и ноги кверху задрала, да схватилась за пизду и говорит ему: «что ты наделал? как теперь мне домой-то показаться, что я мужу-то скажу!» Медведь смотрит, дыра большущая, разорвал! и не знает что ему делать. Вдруг откуда не взялся — бежит мимо заяц. «Постой, косой! — закричал на него медведь, — поди сюда!» Заяц подбежал. Медведь схватил бабу за края пизды, натянул их и приказал косому придерживать своими лапками; а сам побежал в лес, надрал лык целый пук — едва тащит! Хочет зашивать бабе дыру. Принес лыки и бросил оземь; баба испугалась, да как перднет, так заяц аршина на два подскочил вверх. «Ну, Михайло Иванович! по целому лопнуло!» — «Пожалуй она вся теперь излопается!» — сказал медведь и бросился что есть духу бежать; так и ушол!

ВОЛК

Был мужик, у него была свинья и привела она двенадцать поросят; запер он ее в хлев, а хлев был сплетен из хворосту. Вот на другой день пошол мужик посмотреть поросят, сосчитал — одного нету. На третий день опять одного нету. Кто ворует поросят? Вот и пошол старик ночевать в хлев, сел и дожидается, что будет. Прибежал из лесу волк да прямо к хлеву, повернулся к двери жопою, натиснул и просунул в дыру свой хвост, и ну хвостом-то шаркать по хлеву. Почуяли поросята шорох и пошли от свиньи к дверям нюхать около хвоста. Тут волк вытащил хвост, поворотился передом, просунул свою морду, схватил поросенка и драла в лес. Дождался мужик другого вечера, пошол опять в хлев и уселся возле самых дверей. Стало темно, прибежал волк и только засунул свой хвост и начал шаркать им по сторонам, мужик как схватил обеими руками за волчий хвост, уперся в дверь ногами и во весь голос закричал: «тю-тю-тю». Волк рвался, рвался, и зачал срать, и потуда жилился, пока хвост оторвал. Бежит, а сам кровью дрищет; шагов двадцать отбежал, упал и издох. Мужик снял с него кожу и продал на торгу.

КОТ И ЛИСА

Мужик прогнал из дому блудливого кота в лес. А в этом лесу жила-была лиса, да такая блядь! все валялась с волками да медведями. Повстречала она кота: разговорились о том, о сем. Лиса и говорит: «Ты, Котофей Иванович, холост, а я незамужняя жена! возьми меня за себя». Кот согласился. Пошол у них пир и веселье, после пира надо коту по обряду иметь с лисицею грех. Кот взлез на лису, не столько ебет, сколько когтями дерет, а сам еще кричит: «мало, мало, мало!» — «Вот еще какой! — сказала лисица, — ему все мало!...»

ВОШЬ И БЛОХА*

Повстречала вошь блоху: «Ты куда?» — «Иду ночевать в бабью пизду». — «Ну, а я залезу к бабе в жопу». И разошлись. На другой день встретились опять. «Ну что, каково спалось?» — спрашивает вошь. «Уж не говори! такого страху набралась: пришол ко мне какой-то лысый и стал за мной гоняться, уж я прыгала, прыгала, и туда-то и сюда-то, а он все за мной, да потом как плюнет на меня и ушол!» — «Что ж, кумушка! и ко мне двое стучались, да я притаилась; они постучали себе — постучали, да с тем и прочь пошли».

---

* Эта сказка записана в Воронежской губернии.

СОБАКА И ДЯТЕЛ

Жили мужик да баба и не знали, что есть за работа; а была у них собака, она их и кормила и поила. Но пришло время, стала собака стара; куда уж тут кормить мужика с бабой! Чуть сама с голоду не пропадает. «Послушай, старик, — говорит баба, — возьми ты эту собаку, отведи за деревню и прогони; пусть идет куда хочет. Теперича она нам не надобна! Было время — кормила нас, ну и держали ее». Взял собаку, вывел за деревню и прогнал прочь. Вот собака ходит себе по чистому полю, а домой идти боится: старик со старухою станут бить-колотить. Ходила, ходила, села наземь и завыла крепким голосом. Летел мимо дятел и спрашивает: «О чем ты воешь?» — «Как не выть мне, дятел! Была я молода, кормила-поила старика со старухою; стала стара, они меня и прогнали. Не знаю, где век доживать». — «Пойдем ко мне, карауль моих детушек, а я кормить тебя стану». Собака согласилась и побежала за дятлом. Дятел прилетел в лес к старому дубу, а в дубе было дупло, а в дупле дятлово гнездо. «Садись около дуба, — говорит дятел, — никого не пущай, а я полечу разыскивать корму». Собака уселась возле дуба, а дятел полетел. Летал, летал и увидал: идут бабы с горшочками, несут мужьям в поле обедать; пустился назад к дубу, прилетел и говорит: «Ну, собака, ступай за мною; по дороге бабы идут с горшочками, несут мужьям в поле обедать. Ты становись за кустом, а я окунусь в воду да вываляюсь в песку и стану перед бабами по дороге низко порхать, будто взлететь повыше не могу. Они начнут меня ловить, горшочки свои постановят наземь, а сами за мною. Ну, ты поскорее к горшочкам-то бросайся да наедайся досыта». Собака побежала за дятлом и, как сказано, стала за кустом; а дятел вывалялся весь в песку и начал перед бабами по дороге перепархивать. «Смотри-ка, — говорят бабы, — дятел-то совсем мокрый, давайте его ловить!» Покинули наземь свои горшки, да за дятлом, а он от них дальше да дальше, отвел их в сторону, поднялся вверх и улетел. А собака меж тем выбежала из-за куста и все, что было в горшочках, приела и ушла. Воротились бабы, глянули, а горшки катаются порожние; делать нечего, забрали горшки и пошли домой. Дятел нагнал собаку и спросил: «Ну что, сыта?» — «Сыта», — отвечает собака. «Пойдем же домой». Вот дятел летит, а собака бежит; попадается им на дороге лиса. «Лови лису!» — говорит дятел. Собака бросилась за лисою, а лиса припустила изо всех сил. Случись на ту пору ехать мужику с бочкою дегтю. Вот лиса кинулась через дорогу, прямо к телеге и проскочила сквозь спицы колеса; собака было за нею, да завязла в колесе; тут из нее и дух вон. «Ну, мужик, — говорит дятел, — когда ты задавил мою собаку, то и я причиню тебе великое горе!» Сел на телегу и начал долбить дыру в бочке, стучит себе в самое дно. Только отгонит его мужик от бочки, дятел бросится к лошади, сядет промежду ушей и долбит ее в голову. Сгонит мужик с лошади, а он опять к бочке; так и продолбил в бочке дыру и весь деготь выпустил. А сам говорит: «Еще не то тебе будет», — и стал долбить у лошади голову. Мужик взял большое полено, засел за телегу, выждал время и как хватит изо всей мочи; только в дятла не попал, а со всего маху ударил лошадь по голове и ушиб ее до смерти. Дятел полетел к мужиковой избе, прилетел и прямо в окошко. Хозяйка тогда печь топила, а малый ребенок сидел на лавке; дятел сел ему на голову и ну долбить. Баба прогоняла, прогоняла его, не может прогнать: злой дятел все клюет; вот она схватила палку да как ударит: в дятла-то не попала, а ребенка зашибла...* Стала баба ловить дятла и поймала-таки, и посадила под решето. Приехал домой мужик; хозяйка его встречает. «Ну, жена! — говорит он, — со мной на дороге несчастье случилось». — «Ну, муж, — говорит она, — и со мною несчастье!» Рассказали друг дружке все как было. «Где же теперича дятел? улетел?» — спросил мужик. «Я его поймала и под решето посадила». — «Хорошо же, я с ним разделаюсь! съем его живого». Открыл решето и только хотел взять дятла в зубы — он порхнул ему прямо в рот живой и проскочил головою в жопу; высунул из мужиковой жопы голову, закричал: «жив, жив!» — и спрятался, потом опять высунет голову и опять закричит; не дает мужику покою. Видит мужик, что беда, и говорит хозяйке: «возьми-ка полено, а я стану раком; как только дятел высунет голову, ты его хорошенько и огрей поленом-то!» Стал раком, жена взяла полено, и только дятел высунул голову — махнула поленом, в дятла-то не попала, а мужику жопу отшибла. Что делать мужику, никак не выживет из себя дятла, все просунет голову из жопы да и кричит: «жив, жив!» — «Возьми-ка, — говорит он жене, — «острую косу, а я опять стану раком, и как только высунет дятел голову — ты и отмахни ее косою». Взяла жена острую косу, а мужик стал раком; только высунула птица голову, хозяйка ударила косою, головы дятлу не отрезала, а жопу мужику отхватила. Дятел улетел, а мужик весь кровью изошел и помер.

* Начало сказки извлечено из трехтомного издания «Народных русских сказок» Афанасьева (Москва, 1957), т. 1.

ПИЗДА И ЖОПА

В одно время поспорили меж собой пизда и жопа, и такой подняли шум, что святых выноси! Пизда говорит жопе: «ты бы, мерзавка, лучше молчала! ты знаешь, что ко мне каждую ночь ходит хороший гость, а в ту пору ты только бздишь да коптишь». — «Ах ты подлая пиздюга! — говорит ей жопа. — Когда тебя ебут, по мне слюни текут — я ведь молчу!» Все это давно было, еще в то время, когда ножей не знали, хуем говядину рубили.

МОЙ ЖОПУ*

Жили муж да жена. Вот бывало, как подает жена мужу обедать, он и начнет ее колотить, а сам еще и приговаривает: «мой жопу, мой жопу!» Вот она и начнет мыть жопу, трет ее и песком и рогожею, так что кровь пойдет, — а только что подаст мужу обедать, он начнет ее колотить и опять приговаривает: «мой жопу, мой жопу!» Вот она и говорит своей тетке: «что это, тетушка, когда я подаю мужу обедать, он всегда меня бьет и приговаривает: мой жопу, мой жопу! — кажись, я и так мою, даже до крови растираю!» — «Эх ты, дура, дура! ты мой-та жопу да не свою, а у чашки». Как стала мыть жопу у чашки, так и перестал ее бить муж.

* Записана в Малоархангельском уезде.

ДУРЕНЬ

Жили мужик да баба, у них был сын дурак. Задумал он, как бы жениться да поспать с женою, — то и дело пристает к отцу: «жени меня, батюшка!» Отец и говорит ему: «погоди сынок! еще рано тебя женить: хуй твой не достает еще до жопы; когда достанет до жопы, в ту пору тебя и женю». Вот сын схватился руками за хуй, натянул его, как можно, крепче, посмотрел — и точно правда, не достает немного до жопы. «Да, — говорит, — и то рано мне жениться, хуй еще маленькой, до жопы не хватает! надо повременить годик, другой». Время идет себе да идет, а дураку только и работы, что вытягивает хуй: и вот таки добился он толку, стал хуй его доставать не только до жопы — и через хватает! не стыдно будет и с женою спать: «сам ее удовольствую, не пущу в чужие люди!» Отец подумал себе: «какого ожидать от дурака толку!» — сказал ему: «ну, сынок! когда хуй у тебя такой большой вырос, что через жопу хватает, то и женить тебя не для чего; живи холостой, сиди дома, да своим хуем еби себя в жопу!» Тем дело и кончилось.

ЩУЧЬЯ ГОЛОВА

Жили-были мужик да баба, у них была дочь, девка молодая. Пошла она бороновать огород; бороновала, боронова-ла, только и позвали ее в избу блины есть. Она пошла, а лошадь совсем с бороною оставила в огороде: пущай постоит, пока ворочусь. Только у ихнего соседа был сын — парень глупой. Давно хотелось ему поддеть эту девку, а как — не придумает. Увидал он лошадь с бороною, перелез через изгороду, выпряг коня и завел его в свой огород; борону хоть и оставил на старом месте, да оглобли-то просунул сквозь изгороду к себе и запряг опять лошадь-то. Девка пришла и далась диву: что бы это такое — борона на одной стороне забора, а лошадь на другой? и давай бить кнутом свою клячу да приговаривать: «какой чорт тебя занес! Умела втесаться, умей и вылезать; ну, ну, выноси!» А парень стоит, смотрит да посмеивается. «Хочешь, — говорит, — помогу, только ты дай мне...» Девка то была воровата; «пожалуй», говорит, а у ней на примете была старая щучья голова, на огороде валялась, разинувши пасть. Она подняла ту голову, засунула в рукав и говорит: «я к тебе не полезу, да и ты сюда-то не лазь, чтоб не увидал кто; а давай-ка лучше сквозь этот тынок; скорей просовывай кляп-ат! я уж тебе наставлю». Парень вздрочил кляп и просунул его скрозь тын, а девка взяла щучью голову, раззявила ее и насадила на плешь; он как дернет — и ссадил хуй до крови; ухватился за кляп руками и побежал домой, сел в угол и помалчивает. «Ах, мать ее так! — думает про себя, — да как больно пизда-то у нее кусается! Только бы хуй зажил, а то я сроду ни у какой девки просить не стану!»

Вот пришла пора; вздумали женить этого парня, сосватали его на соседской девке и женили. Живут они день, и другой и третий, живут и неделю, другую и третью; парень боится и дотронуться до жены. Вот надо ехать к теще; поехали. Дорогой молодая-то и говорит мужу: «послушай-ка, милый Данилушка! Что же ты женился, а дела со мной не имеешь. Коли не сможешь, на что было чужой век заедать даром?» А Данило ей: «Нет, теперь ты меня не обманешь! у тебя пизда-то кусается. Мой кляп с тех пор долго болел, насилу зажил». — «Врешь, — говорит она, — это я в то время пошутила над тобою, а теперь не бойся! На-ка попробуй хоша дорогою, самому полюбится». Тут его взяла охота, заворотил ей подол и сказал: «постой, Варюха, дайка-ся, я тебе ноги привяжу, коли станет кусаться, — так я смогу выскочить да уйти». Отвязал он возжи и скрутил ей голые ляшки. Струмент у него был порядочный, как надавил он Варюху-та, как она закричит благим матом, а лошадь была молодая, испугалась и начала мыкать (сани то туда, то сюда), вывалила парня, а Варюху так с голыми ляшками и примчала на тещин двор. Теща смотрит в окно, видит: лошадь-то зятева, и подумала, верно это он говядины к празднику привез, пошла встречать, а то — ее дочка. «Ах, матушка! — кричит, — развяжи-ка поскорее, покедава никто не видал». Старуха развязала ее, расспросила что и как. «А муж-то где?» — «Да его дошадь вывалила!» Вот вошли в избу, смотрят в окно — идет Данилка, подошол к мальчишкам, что в бабки играли, остановился и загляделся. Теща послала за ним старшую дочь. Та приходит: «Здравствуй, Данила Иваныч!» — «Здорово». — «Иди в избу! только тебя и недостает!» — «А Варвара у вас?» — «У нас». — «А кровь у нее унялась?» Та плюнула и ушла от него. Теща послала за ним сноху; эта ему угодила: «пойдем, пойдем Данилушка! уж кровь давно унялась». Привела его в избу, а теща встречает и говорит: «добро пожаловать, любезный зятюшка!» — «А Варвара у вас?» — «У нас». — «А кровь у нее унялась?» — «Давно унялась». Вот он вытащил свой кляп, показывает теще и говорит: «вот матушка! Это шило все в ней было!» — «Ну, ну, садись, пора обедать». Сели и стали пить и есть. Как подали яишницу, дураку и захотелось всю ее одному съесть, вот он и придумал, да и ловко же: вытащил кляп, ударил по плеши ложкою и сказал: «вот это шило все в Варюхе было!» — да и начал мешать своею ложкою яишницу. Тут делать нечего, полезли все из-за стола вон, а он приел яишницу один, и стал благодарствовать теще за хлеб — за соль.

БОЯЗЛИВАЯ НЕВЕСТА

Разговорились промеж себя две девки. «Как ты — а я, девушка, замуж не пойду!» — «А что за неволя идти-то! ведь мы не господские». — «А видала-ль ты, девушка, тот струмент, каким нас пробуют?» — «Видала». — «Ну что же — толст?» — «Ах, девушка, право у другого толщиною будет с руку». — «Да это и жива-то не будешь!» — «Пойдем-ка, я потычу тебя соломинкою — и то больно!» Поглупей-то легла, а поумней-то стала ей тыкать соломинкою. «Ох, больно!» Вот одну девку отец приневолил и отдал замуж; отерпела она две ночи, и приходит к своей подруге: «Здравствуй, девушка!» Та сейчас ее расспрашивает, что и как. «Ну, — говорит молодая, — если б я знала, ведала про это дело, не послушалась бы ни отца, ни матери. Уж я думала, что и жива-то не буду, и небо-то мне с овчинку показалось!» Так девку напугала, что и не поминай ей про женихов. «Не пойду, — говорит, — ни за кого, разве отец силою заставит, и то выйду ради одной славы за какого-нибудь безмудого».

Только был в этой деревне молодой парень, круглый бедняк; хорошую девку за него не отдают, а худой самому взять не хочется. Вот он и подслушал ихний разговор. «Погоди-ж, — думает, — мать твою так! улучу время, скажу, что у меня кляпа-то нет!» Раз как-то пошла девушка к обедне, смотрит, а парень гонит свою худенькую да некованую клячу на водопой; вот лошаденка идет, идет да и спотыкнется, а девка так смехом и заливается. А тут пришлась еще крутая горка, лошадь стала взбираться, упала и покатилась назад. Рассердился парень, ухватил ее за хвост и начал бить немилостиво да приговаривать: «Вставай, чтоб тебя ободрало!» — «За что ты, разбойник, бьешь?» — говорит девка. Он поднял хвост, смотрит и говорит: «а что с ней делать-то? теперь бы ее еть да еть, да хуя-то нет!» Как услышала она эти речи, так тут же и усцалась от радости, и говорит себе: «вот Господь дает мне жениха за мою простоту!» Пришла домой, села в задний угол и надула губы. Стали все за обед садиться, зовут ее, а она сердито отвечает: «не хочу!» — «Поди Дунюшка! — говорит мать, — или о чем раздумалась? скажи-ка мне». И отец говорит: «ну, что губы-то надула? Может замуж захотела? Хошь за этого, а не то за этого?» А у девки одно в голове, как бы выйти замуж за безмудого Ивана. «Не хочу, — говорит, — ни за кого; хочете отдайте, хочете нет, за Ивана». — «Что ты, дурища, сбесилась, али с ума спятила? ты с ним по миру находишься!» — «Знать моя судьба такая! не отдадите — пойду утоплюсь, не то удавлюсь». Что будешь делать? Прежде старик и на глаза не принимал этого бедняка Ивана, а тут сам пошел набиваться со своею дочерью. Приходит, а Иван сидит да чинит старой лапоть. «Здорово, Иванушка!» — «Здорово, старик!» — «Что поделываешь?» — «Хочу лапти заковыривать». — «Лапти? ходил бы в новых сапогах». — «Я на лыки-то насилу собрал пятнадцать копеек; куда уж тут сапоги?» — «А что-ж ты, Ваня, не женишься?» — «Да кто за меня отдаст девку-то?» — «Хочешь, я отдам! Целуй меня в самой рот». Ну и сладили. У богатого не пиво варить, не вино курить; в ту-ж пору обвенчали, отпировали, и повел дружка молодых в клеть и уложил спать. Тут дело знамое: пронял Ванька молодую до руды (крови), ну да и дорога-то была туды! «Эх, я дура глупая! — подумала Дунька. — Что я наделала?

уж ровно-бы принять страху, выйтить бы мне за богатого! Да где он кляп-то взял? дай спрошу у него». И спросила таки: «послушай, Иванушка! где ты хуй-то взял?» — «У дяди на одну ночь занял». — «Ах, голубчик, проси у него еще хоть на одну ночку». Прошла и другая ночь; она опять говорит: «ах, голубчик, спроси у дяди, не продаст ли тебе хуя совсем? Да торгуй хорошенько». — «Пожалуй, поторговаться можно». Пошол к дяди, сговорился с ним заодно, и приходит домой. «Ну что?» — «Да что говорить! с ним не столкуешься; 300 рублев заломил, эдак не укупишь; где я денег-то возьму?» — «Ну, сходи, попроси взаймы еще на одну ночку; а завтра я у батюшки выпрошу денег — и совсем купим». — «Нет, уж иди сама проси, а мне право совестно!» Пошла она к дяди, входит в избу, помолилась Богу и поклонилась. «Здраствуй, дядюшка!» — «Добро пожаловать! Что хорошего скажешь?» — «Да что, дядюшка, стыдно сказать, а грех утаить; одолжите Ивану на одну ночку хуйка вашего». Дядя задумался, повесил голову и сказал: «дать можно, да чужой хуй беречь надыть!» — «Будем беречь, дядюшка; вот те хрест! А завтра бесприменно совсем у тебя его купим». — «Ну, присылай Ивана!» Тут она кланялась ему до земли и ушла домой. А на другой день пошла к отцу, выпросила мужу 300 рублев, и купила она себе важный кляп.

ГОРЯЧИЙ КЛЯП

Был-жил мужик, у него была дочь. Говорит она отцу: «батюшка, Ванька просил у меня поеть». — «Э, дурная! зачем давать чужому; мы и сами поебем!» Взял гвоздь, разжог в печи и прямо ей в пизду и вляпал, так что она три месяца сцать не могла! А Ванька повстречал эту девку да опять начал просить: дай-де мне поеть. Она и говорит: «брешишь, чорт Ванька! меня батюшка поеб, так пизду обжог, что я три месяца не сцала!» — «Не бось, дура! у меня холодной кляп». — «Врешь, чорт Ванька! дай-ка я пощупаю». — «На, пощупай». Она взяла его за хуй рукою и закричала: «ах ты, чорт эдакой! вишь теплый; макай в воду». Ванька стал макать в воду, да с натуги и забздел. А она: «Ишь зашипел!

ведь сказывала, что горяч, так еще обмануть вор хочешь!» Так и не дала Ваньке.

СЕМЕЙНЫЕ РАЗГОВОРЫ

Жил-был мужик, у него была жена, дочь да два сына — еще малые ребята. Раз пошла мать с детьми в баню, посбирала черное белье и начала стирать его, стоя над корытом, а к мальчикам-то повернулась жопою. Вот они смотрят да смеются: «Эх, Андрюшка! посмотри-ка, ведь у матушки две пизды». — «Что ты врешь! это — одна, да только раздвоилась». — «Ах, вы сопливые черти! — закричала на них мать, — вишь что выдумали!»

Пришла баба в избу, легла с дочкою на печь и стали меж собой разговаривать. «Ну дочка! — сказывает мать, — скоро тебя замуж пора отдавать; будешь тогда с мужем жить, а не с нами...» — «Коли так я и замуж не хочу!» — «Что ты, что ты, глупая! да чего тебе бояться? добрые девки еще тому радуются». — «Да чего радоваться-та?» — «Как чего? переспишь с мужем первую ночь, променяешь тады и отца с матерью на него, понравится тебе слаще меду и сахару». — «От чего же, матушка, так сладко, и где у них эта сладость?» — «Ах, ты, какая глупая! вить ты ходила маленькою с отцом в баню-та?» — «Ходила», — говорит дочь. «Ну, видела ты у отца на конце зарубку?» — «Видела, матушка!» — «Вот это и есть самая сласть». А дочь говорит: «Коли бы эдак зарубить зарубок пять, тады б еще слаще было!» Отец лежал, лежал на полатях, слушал, слушал, не утерпел и закричал: «Ах, вы разбойницы! хуй вам в горло! про что говорят! мне для вашей сласти не разрубит своего хуя на мелкие части». Вот тут девушка гадала да гадала: одного-то хуя мало, а два не влезут; лучше их вместе свить да оба вбить.

ПЕРВОЕ ЗНАКОМСТВО ЖЕНИХА С НЕВЕСТОЮ

У одного старика был сын, парень взрослой, у другого дочь — девка на поре. И задумали они оженить их. «Ну, Иванушка! — говорит отец, я хочу женить тебя на соседской дочери, сойдись-ка с нею да поговори ладнее да поласковее!» — «Ну, Машутка! — говорит другой старик, — я хочу отдать тебя за соседнего сына, сойдись-ка с ним, да ладнее познакомиться!» Вот они сошлися на улице, поздоровались. «Мне отец велел с тобой, Иванушка, ладнее познакомиться», — говорит девка. «И мне то ж наказывал мой батька», — говорит парень. «Как же быть-то? ты где, Иванушка, спишь?» — «В сенцах». — «А я в амбарушке; приходи ночью ко мне, так мы с тобою и поговорим ладнее.....» — «Ну что ж!» Вот пришол Иванушка ночью и лег с Машуткою. Она и спрашивает: «Шел ты мимо гумна?» — «Шел». — «А что, видел кучу говна?» — «Видел». — «Это я насрала». — «Ничего — велика!» — «Как же нам с тобою поладить? Надо посмотреть хорош ли у тебя струмент?» — «На, посмотри, — сказал он и развязал гашник; — я этим богат!» — «Да эдакой-то мне велик! посмотри, какая у меня маленькая!» — «Дай-ка я попробую: придется ли?» И стал пробовать; хуй у него колом стоит; как махнет ее — ажно из всех сил она закричала: «ох, как больно кусается!» — «Не бось! ему места мало, так он и сердится». — «Ну вот, я ведь сказывала, что место-то для него мало!» — «Погоди, будет и просторно». Как пробрал ее всласть, она и говорит: «ах, душечка! да твоим богатством можно денежки доставать!» Покончили и заснули; проснулась она ночью и ну целовать его в жопу — думает в лицо, а он как подпустил сытности — девка и говорит: «Ишь, Ваня, от тебя цынгой пахнет!...»

МУЖИКИ И БАРИН

Пришол барин в праздник к обедни, стоит и молится Богу; вдруг откудова не возьмись — стал впереди его мужик, и этот сукин сын согрешил, так набздел, что продохнуть не можно. «Эка подлец! как навонял», — думает барин, подошол к мужику, вынул целковой денег, держит в руке и спрашует: «послушай мужичок! Это ты так хорошо насрал?» Мужик увидал деньги и говорит: «Я барин!» — «Ну вот, братец! на тебе за это рубль денег». Мужик взял и думает: «верно барин уж очень любит бздех, надо кажной праздник ходить в церковь да около него становиться; он и всегда по целковому будет давать». Отошла обедня, разошлись все по домам. Мужик прямо к соседу своему и рассказал, как и что с ним было. «Ну, брат, — говорит сосед, — теперича, как дождем праздника — пойдем оба в церковь; вдвоем мы еще больше набздим: он обем (обоим) нам даст денег!» Вот дождались они праздника, пошли в церковь, стали впереди барина и напустили вони на всю церковь. Барин подошол к ним и спрашует: «послушайте, ребята, это вы так хорошо насрали?» — «Мы, сударь!» — «Ну спасибо вам; да жалко, со мной теперича денег не случилось. А вы, ребята, как отойдет обедня, пообедайте поплотней да приходите ко мне на дом набздеть хорошенько, я вам тогда заодно заплачу». — «Слушаем, барин! нынче же к вашей милости оба придем». Как покончилась обедня, мужики пошли домой обедать, нажрались и к барину. А барин приготовил им доброй подарок — розог да палок; встречает их и говорит: «что, ребята, побздеть пришли?» — «Точно так, сударь!» — «Спасибо, спасибо вам! да как же, молодцы, ведь надо раздеться, а то на вас одежи много — не скоро дух прошибет». Мужики поскидали армяки и поддевки, спустили портки и долой рубашки. Барин махнул слугам своим; как они схватили мужиков, растянули их, да начали парить: палок пятьсот задали в спину! Насилу выбрались, да бежать домой без оглядки, и одежу-то побросали.

ДОГАДЛИВАЯ ХОЗЯЙКА

Жила-была старуха, у ней была дочь — большая неряха; за что не возьмется, все у ней из рук валится. Пришло время — нашелся дурак, сосватал ее и взял за себя замуж, пожил с нею год и больше и прижил сына. Пришла один раз она к матери в гости; эта ну ее угощать да потчевать. А дочь ест да сказывает: «ах, матушка! какой у тебя хлеб скусной, настояще ситной, а у меня такой, что и проглотить не хочется, — настояще кирпич». — «Послушай, дочка! — говорит старуха, — ты верно нехорошо месишь квашню, оттого у тебя и хлеб нескусен; а ты попробуй квашню вымесить так, чтоб у тебя жопа была мокра! так и дело будет ладно». Пришла дочь домой, растворила квашню и начала месить; помесит-помесит, да подымет подол и пощупает: мокра ли жопа? и опять начнет месить. Часа два так месила, всю жопу выпачкала, а узнать не может, мокра ли у ней жопа или нет. Вот она подняла подол, стала раком и говорит сынишке: «подь сюды, посмотри, не видать ли, мокра ли моя жопа или нет?» Мальчик посмотрел и говорит: «Эге, матушка! у тебя две дырки вместе, да обе в тесте!» Тут она полна месить квашню, и спекла с того теста хлебы такие скусные, что если б знали, как она месила — никто б и в рот не взял.

НЕТ

Жил-был старой барин, у него была жена и молода, и собой хороша. Случилось этому барину куда-то уехать далеко; он и боится, как бы жена его не стала с кем блядовать, и говорит: «послушай, милая! теперь я уезжаю надолго от тебя, так ты никаких господ не примай к себе, чтоб они тебя не смутили, а лучше вот что: кто бы тебе и что бы тебе не сказывал — отвечай все *нет* да *нет!*» Уехал муж, а барыня пошла гулять в сад. Ходит себе по саду; а мимо на ту пору проезжал офицер. Увидал барыню такую славную и стал ее спрашивать: «скажите, пожалуста, какая это деревня?» Она ему отвечает: «нет!» Что бы это значило, думает офицер; о чем ее не спросишь — она все: нет да нет! Только офицер не будь промах: «ежели, — говорит, — я слезу с лошади да привяжу ее к забору — ничего за это не будет?» А барыня: «нет». — «А если взойду к вам в сад — вы не рассердитесь?» — «Нет!» Он вошол в сад. «А если я с вами стану гулять — вы не прогневаетесь?» — «Нет!» Он пошол рядом с нею. «А если возьму вас за ручку — не будет вам досадно?» — «Нет!» Он взял ее за руку. «А если поведу вас в беседку — и это ничего?» — «Нет!» Он привел ее в беседку. «А если я вас положу и сам с вами лягу — вы не станете противиться?» — «Нет!» Офицер положил ее, и говорит: «а если я вам да заворочу подол — вы, конечно, не будете сердиться?» — «Нет!» Он заворотил ей подол, поднял ноги покруче, и спрашивает: «а если я вас да стану еть — вам не будет неприятно?» — «Нет!» Тут он отработал ее порядком, слез с нее, полежал, да опять спрашивает: «вы теперь довольны?» — «Нет!» — «Ну, когда нет, надо еще еть!» Отзудил еще раз и спрашивает: «а теперь довольны?» — «Нет!» Он плюнул и уехал; а барыня встала и пошла в хоромы. Вот воротился домой барин и говорит жене: «ну что, все ли у тебя благополучно?» — «Нет!» — «Да что же? не поеб ли тебя кто?» — «Нет!» Что не спросит, она все: нет да нет; барин и сам не рад, что научил ее.

МУЖ НА ЯЙЦАХ

Жил мужик с бабою; мужик был ленивой, а баба работящая. Вот жена землю пашет, а муж на печи лежит! Раз как-то и поехала она орать землю, а мужик остался дома стряпать да цыплят пасти, да и тут ничего не сделал: завалился спать и проспал цыплят: всех их ворона перетаскала; бегает по двору одна квочка да кричит себе; а ему хоть трава не расти. Вот приехала хозяйка и спрашивает: «а где у тебя цыплята?» — «Ах, женушка, беда моя! я уснул, а ворона всех цыплят и перетаскала». — «Ах ты, пес эдакой! ну-ка, курвин сын, садись на яйцы, да высиживай сам цыплят». На другой день жена поехала в поле, а мужик взял лукошко с яйцами, поставил на полатях, скинул с себя портки и сел на яйцах. Вот баба не будь дура, взяла у отставного солдатика шинель и шапку, нарядилась, приезжает домой и кричит во все горло: «ей, хозяин! да где ты?» Мужик полез с полатей и упал вместе с яйцами наземь. «Это что делаешь?» — «Батюшка служивой! домовничаю». — «Да разве у тебя жены нету?» — «Есть, да в поле работает». — «А ты что ж сидишь дома?» — «Я цыплят высиживаю». — «Ах ты, сукин сын!» — и давай его плетью дуть из всех сил да приговаривать: «не сиди дома, не высиживай цыплят, а работай, да землю паши!» — «Буду, батюшка, и работать, и пахать, ей Богу буду!» — «Врешь, подлец!» Била его баба, била, потом подняла ногу; «посмотри, сукин сын! был я на стражении, так меня ранили, — что, подживает моя рана? али нет?» Смотрит мужик жене в пизду и говорит: «Заволакивает, батюшка!» Баба ушла, переоделась в свою бабью одежду и назад домой; а муж сидит да охает. «Что ты охаешь?» — «Да приходил солдат, всего меня плетью избил». — «За что?» — «Велит работать». — «Давно бы так надо! Жалко, что меня дома не было; я бы попросила еще прибавить». — «Ну, да ладно же, и он издохнет!» — «Это от чего?» — «Да был он на стражении, там его промеж ног..... он мне показывал свою рану да спрашивает: подживает ли? Я сказал: заволакивает — только больно рдится, а кругом мохом обросло!» С тех пор стал мужик работать и на пашню ездить, а баба домовничать.

ОХОТНИК И ЛЕШИЙ

Ходил охотник по лесу, ходил-ходил и ничего не убил, нарвал орехов и грызет себе. Попадается ему навстречу дедушка леший. «Дай, — говорит, — орешков». Он дал ему пулю. Вот леший грыз ее — грыз, никак не сладит и говорит: «я не разгрызу!» Охотник ему: «да ты выхолощен, или нет?» — «Нет!» — «То-то и есть! Давай я тебя охолощу, так и станешь грызть орехи». Леший согласился. Охотник взял — защемил ему хуй и муде между осинами. «Пусти, кричит леший, пусти! не хочу твоих орехов!» — «Врешь, будешь грызть!» Вырезал ему яйца, выпустил и дал взаправской орех. Леший разгрыз. «Ну вот, ведь я сказывал, что будешь грызть!» Пошол охотник в одну сторону, а леший пошол в другую сторону и грозит ему: «ну ладно! придешь овин сушить, я сыграю с тобою штуку!» Пришол охотник домой, сел на лавку и говорит: «ох жена! я устал, поди-ка ты овин сушить». Баба пошла в овин, развела огонь и легла у стенки. Вот приходят два лесовика и говорят промеж себя. «Давай-ка зажгем овин!» — «Нет, давай наперво посмотрим, такова ли у него рана, какую он у тебя сделал?» Посмотрели. «Ну, брат! у него еще больше твоей; видишь, как рассажена — больше шапки, да какая красная!» И пошли они прочь — в свой лес.

МУЖИК И ЧОРТ

Жил-был мужик. Посеял он репу. Приходит время репу рвать, а она не поспела; тут он с досады и сказал: «чтоб чорт тебя побрал!» — а сам ушол с поля. Проходит месяц, жена и говорит: «ступай на полосу; может статься, наберешь репы». Отправился мужик, пришол на полосу, видит — репа большая да славная уродилась, давай ее рвать. Вдруг бежит старичок и кричит на мужика: «зачем воруешь мою репу?» — «Какая твоя?» — «А как же, разве ты мне не отдал, когда она еще не поспела? Я старался, поливал ее!» — «А я садил». — «Не буду спорить, — сказал чорт, — ты точно ее садил, да я поливал. Давай вот что: приезжай на чем хошь сюда, и я приеду. Если ты узнаешь, на чем я приеду — то твоя репа; если я узнаю, на чем ты приедешь — то моя репа». Мужик согласился. На другой день он взял с собою жену и подойдя к полосе, поставил ее раком, заворотил подол, воткнул ей в пизду морковь, а волоса на голове растрепал. А чорт поймал зайца, сел на него, приехал и спрашивает мужика: «на чем я приехал?» — «А что ест?» — спросил мужик. «Осину гложет». — «Так это заяц!» Стал чорт узнавать; ходил, ходил кругом, и говорит: «волоса — это хвост, а это голова, а ест морковь!» Тут чорт совсем спутался: «владей, — говорит, — мужик, репою!» Мужик вырыл репу, продал и стал себе жить да поживать.

МУЖИК ЗА БАБЬЕЙ РАБОТОЙ

Жил-был мужик с женою; дождались лета, пришло жнитво, стали они ходить в поле да жать. Вот кажное утро разбудит баба мужика пораньше; он поедет в поле, а баба останется дома, стопит печку. Сварит обед, нальет кувшинчики и понесет мужу обедать, да до вечера и жнет с ним на поле. Воротятся вечером домой, а на утро опять то же. Надоела мужику работа; стала баба его будить и посылать на поле; а он не встает и ругает свою хозяйку: «нет, блядь! ступай-ка ты наперед, я дома останусь; а то я все хожу на поле рано, а ты спишь только, да придешь ко мне уж тады, когда я досыта наработаюсь!» Сколько жена ни посылала его, мужик уперся на одном слове: «не пойду!» — «Нынче суббота, — говорит жена, — надо много в доме работать: рубахи перемыть, пшена на кашу натолочь, квашню растворить, кринку сметаны на масло к завтрему сколотить...» — «Я и сам это обделаю!» — говорит мужик. «Ну, смотри ж, сделай! Я тебе все приготовлю». И принесла ему большой узел черных рубах, муки для квашни, кринку сметаны для масла, проса для каши, да еще приказала ему караулить курицу с цыплятами; а сама взяла серп и пошла в поле. «Ну, еще маленько посплю!» — сказал мужик и завалился спать, да и проспал до самого обеда. Проснулся в полдень, видит — работы куча; не знает за что прежде браться. Взял он рубахи, связал и понес на реку; намочил, да так в воде и оставил: «пущай повымокнет, потом развешу, просохнет и будет готово». А река-то была быстротекучая, рубахи все за водою и ушли. Приходит мужик домой, насыпал в квашню муки, налил водою. «Пущай киснет!» Потом насыпал в ступу проса и начал толочь, и видит: наседка по сеням бродит, а цыплята все в разны стороны рассыпались. Он сейчас половил цыплят, перевязал их всех шнурочком за ножки и прицепил к курице, и опять начал толочь просо; да вздумал, что еще кринка сметаны стоит, надо сколотить ее на масло. Взял эту кринку, привязал к своей жопе: «Я, — дескать, — буду просо толочь, а сметана тем временем станет на жопе болтаться: разом и пшено будет готово и масло спахтано!» Вот и толчет просо, а сметана на жопе болтается. Тут курица побрела на двор и цыплят за собой потащила. Как вдруг налетел ястреб, ухватал курицу и потащил совсем с цыплятами. Курица заквоктала, цыпляты запищали; мужик услыхал, бросился на двор, да на бегу ударился кринкою об дверь, кринку расшиб и сметану всю пролил. Побежал отнимать у ястреба курицу, а дверей и не запер; пришли в избу свиньи, квашню опрокинули, тесто все поели, и проса добрались: все пожрали. А мужик курицы с цыплятами не отнял, воротился назад — полна изба свиней, хуже хлева сделали! насилу вон выгнал. Что теперича делать? думает мужик; придет хозяйка — беда будет! Все дело чисто убрал — нет ничего! да-ка поеду, рубахи из воды вытащу. Запряг кобылу и поехал на реку; уж он искал —

искал белья; нету; «Да-ка в воде поищу!» Разделся, скинул с себя рубашку и штаны и полез в воду, и пошол бродить, а толку все не добьется: так и бросил! вышел на берег, глядь — ни рубахи, ни штанов нету, кто-то унес. Что делать-то? не во что и одеться, надо в деревню голому ехать. «Нарвука я себе, — говорит, — длинной травы, да обвяжу кляп, сяду в телегу и поеду домой, все не так стыдно будет!» Нарвал зеленой травы, обвертел свой хуй и стал отвязывать повод у лошади. Лошадь увидала траву, схватила ее зубами и оторвала совсем с хуем. Заголосил мужик о кляпе, коекак добрался в избу, залез в угол и сидит в углу. «Ну что, все приготовил?» — «Все, любезная жена!» — «Где же рубашки?» — «За водой уплыли». — «А курица с цыплятами?» — «Ястреб утащил». — «А тесто? а просо?» — «Свиньи съели». — «А сметана?» — «Всю розлил». — «А хуйто где?» — «Кобыла съела». — «Экой ты, сукин сын, наделал добра!»

ЖЕНА СЛЕПОГО

Жил-был барин с барыней. Вот барин-то ослеп, а барыня и загуляла с одним подъячим. Стал барин подумывать: не блядует ли с кем жена, и шагу не даст ей без себя сделать. Что делать? Раз пошла она с мужем в сад, и подъячий туда ж пришол. Захотелось ей дать подъячему. Вот муж-то слепой у яблони сидит, а жена свое дело справляет, подъячему поддает. А сосед ихний смотрит из своего дома, из окна в сад, увидал, что там строится: подъячий на барыне сидит; и сказывает своей жене: «посмотри-ка, душенька, что у яблони-то делается. Ну, что как теперя откроет Бог слепому глаза, да увидит он — что тогда будет? ведь он ее до смерти убьет». — «И, душенька! ведь и нашей сестре Бог увертку дает!» — «А какая тут увертка?» — «Тогда узнаешь». На тот грех и открыл Господь слепому барину глаза; увидел он, что на его барыне подъячий сидит и закричал: «ах ты, курва! что ты делаешь, проклятая блядь!» А барыня: «ах, как я рада, милой мой! Ведь сегодня ночью приснилось мне: сделай-де грех с таким-то подъячим, и Господь за то откроет твоему мужу глаза. Вот оно и есть правда: за мои труды Бог дал тебе очи!»

ТЕТЕРЕВ

Два дня ходил охотник по лесу — ничего не убил; на третий день дал обещанье: «что ни убью, то проебу!» Пошол в лес, напал на тетерева и убил его. Ворочается домой. Вот увидела из окна барыня, что идет охотник, несет тетерева, и позвала его к себе в горницу. «Что стоит тетерев?» — спрашивает барыня. — «Этот тетерев у меня не продажный, — говорит охотник, — а заветный». — «Какой же завет?» — «Да как шел я на охоту, дал обещание: что ни убью, то и проебу». — «Не знаю, как быть, — молвила барыня; — хочется мне тетеревятинки, дюже хочется! видно надо делу сбыться. Да мне совестно под тобою лежать...» — «Ну, я лягу книзу, а ты, барыня, ложись сверху». Так и сделали. «Ну, мужик, отдавай тетерева». — «За что я отдам тебе тетерева? ведь ты меня ебла, а не я тебя». Барыне жалко упустить тетерева. «Ну, — говорит, — полезай на меня!» Мужик и в другой раз отделал барыню. «Давай тетерева». — «За что я отдам тебе! Мы только поквитались». — «Ну, полезай еще раз на меня», — говорит барыня. Влез охотник на барыню, отработал и в третий раз. «Ну, давай же теперь?» Как ни жалко было охотнику, а делать нечего — отдал барыне тетерева и пошол домой.

АРХИЕРЕЙСКОЙ ОТВЕТ

Жили-были генерал да архиерей; случилось им быть на беседе. Стал генерал архиерея спрашивать: «Ваше Преосвященство! мы люди грешные, не можем без греха жить, не еть; а как же вы терпите, во всю жизнь не согрешите?» Архиерей отвечает: «Пришлите ко мне за ответом завтра». На другой день генерал и говорит своему лакею: «Поди к архирею, попроси у него ответа». Лакей пришол к архирею, доложил о нем послушник. «Пусть постоит», — сказал архирей. Вот стоял лакей час, и другой, и третий; нет ответа; просит послушника: «скажи опять владыке». — «Пусть еще постоит!» — отвечал архирей. Лакей долго стоял, стоял, не вытерпел — лег да тут же и заснул и проспал до утра.

Поутру воротился к генералу и сказывает: «продержал до утра, а ответу никакого не дал». — «Опять, — говорит генерал, — сходи к нему да непременно попроси ответа. Пошол лакей, приходит к архирею, тот его позвал к себе в келью и спрашивает: «Ты вчера у меня стоял?» — «Стоял». — «А потом лег да заснул?» — «Лег да заснул». — «Ну, так и у меня хуй, встанет — постоит, постоит, потом опустится и уснет. Так и скажи генералу».

ПОСЕВ ХУЕВ

Жили-были два мужика, вспахали себе землю и поехали сеять рожь. Идет мимо старец, подходит к одному мужику и говорит: «Здравствуй, мужичок!» — «Здравствуй, старичок!» — «Что ты сеешь?» — «Рожь, дедушка!» — «Ну, помоги тебе Бог, зародись твоя рожь высока и зерном полна!» Подходит старец к другому мужику: «Здравствуй, мужичок!» — «Здравствуй, старичок!» — «Что ты сеешь?» — «На что тебе надо знать? я сею хуи!» — «Ну и зародись тебе хуи!» Старец ушол, а мужики посеяли рожь, заборонили и уехали домой. Как стала весна, да пошли дожди — у первого мужика взошла рожь и густая, и большая, а у другого мужика взошли все хуи красноголовые, да так таки всю десятину и заняли: и ногой ступить негде, все хуи! Приехали мужики посмотреть, каково их рожь взошла; у одного дух не нарадуется, глядя на свою полосу, а у другого так сердце и замирает: «Что, — думает, — буду я теперича делать с эдакими чертями?» Дождались мужики — вот и жнитво пришло; выехали на поле; один зачал рожь жать, а другой смотрит — у него на полосе поросли хуи аршина в полтора, стоят себе красноголовые, словно мак цветет. Вот мужик поглазел-поглазел, покачал головой и поехал назад домой; а приехавши собрал ножи, наточил повострее, взял с собой ниток и бумаги, и опять воротился на свою десятину, и начал хуи срезывать: срежет пару, обвернет в бумагу, завяжет хорошенько ниткою и положит в телегу. Посрезывал все и повез в город продавать: «да-ка, — думает, — повезу, не продам ли какой дуре хошь одну парочку!» Везет по улице и кричит во все горло: «не надо ли кому хуев, хуев, хуев! У меня славные, продажные хуи, хуи, хуи!» Услыхала одна барыня, посылает горнишную девушку: «поди поскорее, спроси, что продает этот мужик?» Девка выбежала: «Послушай, мужичок! что ты продаешь?» — «Хуи, сударыня!» Приходит она назад в горницу и стыдится барыне сказать. «Сказывай же, дура! — говорит барыня, — не стыдись! Ну, что он продает?» — «Да вот что, сударыня — он, подлец, хуи продает!» — «Эка дура! беги скорей, догони да поторгуй, что он с меня за пару возьмет?» Девка воротила мужика и спрашивает: «что парочка стоит?» — «Да без торгу сто рублей». Как только сказала девка про то барыне, она сейчас же вынула сто рублей: «На, — говорит, — поди, да смотри выбери какие получше, подлиннее да потолще». Приносит девка мужику деньги и упрашивает: «только пожалуста, мужичок, дай каких получше». — «Они у меня все хороши уродились!» Взяла горнишная пару добрых хуев, приносит и подает барыне; та посмотрела и показались ей очень. Сует себе куда надыть, а они не лезут: «Что же тебе мужик сказал, — спрашивает она у девушки, — как командовать ими, чтобы действовали?» — «Ничего не сказывал, сударыня». — «Эка ты дура! поди сейчас спроси». Побежала опять к мужику. «Послушай, мужичок, скажи, как твоим товаром командовать, чтоб мог действовать?» А мужик говорит: «Коли дашь еще сто рублей, так скажу!» Горнишная скорей к барыне: «так и так, даром не сказывает, сударыня, а просит еще сто рублей». — «Такую штуку и за двести рублей купить — не дорого!» Взял мужик новую сотню и говорит: «Коли барыня захочет, пусть только скажет: *«Но-но!»* Барыня сейчас легла на кровать, заворотила свой подол, и командует: «но-но!» Как пристали к ней оба хуя, да как зачали ее нажаривать, барыня уж и сама не рада, а вытащить их не может. Как от беды избавиться? Посылает она горнишну: «Поди, догоняй энтого сукина сына, да спроси, что надо сказать, чтоб они отстали!» Бросилась девка со всех ног. «Скажи, мужичок! что нужно сказать, чтоб хуи от барыни отстали? а то они барыню совсем замучили». А мужик: «Коли даст еще сто рублей, так скажу!» Прибегает девка домой, а барыня еле жива на кровати лежит. «Возьми, — говорит, — в комоде последние сто рублей, да неси подлецу поскорей! а то смерть моя приходит!» Взял мужик и третью сотню, и говорит: «Пусть скажет только: *тпрру* — они сейчас отстанут». Прибежала горнишная и видит: барыня уж без памяти, и язык высунула: вот она сама крикнула на них: *«тпрру!»* Оба хуя сейчас выскочили. Полегчало барыне; встала она с кровати, взяла и припрятала хуи, и стала себе жить в свое удовольствие: как только захочется — сейчас достанет их, скомандует и хуи станут ее отработывать, пока не закричит барыня *«тпрру!»**

В одно время случилось барыне поехать в гости в иную деревню, и позабыла она взять эти хуи с собою. Побыла в гостях до вечера и стало ей скучно: собирается домой. Тут зачали ее упрашивать, чтоб осталась переночевать. «Никак невозможно, — говорит барыня; — я позабыла дома одну секретную штуку, без которой мне не заснуть!» — «Да коли хотите, — отвечают ей хозяева, — мы пошлем за нею хорошего надежного человека, чтоб привез ее в целости». Барыня согласилась. Сейчас нарядили лакея, чтоб оседлал доброго коня, ехал в барынин дом и привез такую-то вещь. «Спроси, — сказывает барыня, — у моей горнишной, уж она знает, где эта штука спрятана». Вот лакей приехал, горнишная вынесла ему два хуя, оба завернуты в бумагу, и отдала. Лакей положил их в задний карман, сел верхом и поехал назад. Пришлось ему по дороге взъезжать на гору, а лошадь-то была ленивая, и только что начал он понукать ее: «но-но» — как они вдруг выскочили оба и ну его зажаривать в жопу. Холуй ажно испугался! Что за чудо такое, откуда они проклятые взялись? Пришло холую хоть до слез, не знает как и быть! да стала лошадь с горы спускаться прытко, так он закричал на нее: «тпрру!» Хуи сейчас из жопы и повыскакали вон. Вот он подобрал их, завернул в бумагу, привез и подает барыне. «Что, благополучно?» — спрашивает барыня. «Да ну их к чорту, — говорит холуй, — коли б на дороге да не гора, они заебли б меня до двора!»†

---

* *Вар.* Мужик учит барыню говорить: *«но—тпрру! но—тпрру!»* — скажет *«но»* — хуй пойдет в дыру, скажет *«тпрру»* — назад попятится и т. д.

† *Вар.* Барыня наказывает лакею привезти свой секрет, в ящике, да никак не заглядывать туда, не любопытствовать, что такая за штука. Лакей не утерпел и посмотрел идя дорогою; как увидал и промолвил, покачав головой: «ну, ну, ну!» Оба хуя так и всадились к нему в жопу, и долго его промучили: да спасибо, ехал навстречу мужик на доброй лошади и закричал на нее: «тпрру!» — тут они и выскочили вон.

ВОЛШЕБНОЕ КОЛЬЦО

В некотором царстве, в некотором государстве жили-были три брата-крестьянина, повздорили меж собой и стали делиться: поделили имение не поровну, старшим достолось много а третьему по жребию пришлось мало. Все они трое были холостые; сошлись вместе на дворе и говорят промеж себя: пора-де нам жениться! «Вам хорошо, — говорит меньшой брат, — вы богаты и у богатых сосватались; а мне-то что делать? Я беден, нет у меня ни полена, только и богатства, что хуй по колена!» В то самое время проходила мимо купеческая дочь, подслушала этот разговор и думает себе: «ах, кабы мне попасть замуж за этого молодца, у него хуй-та по колена!» Вот старшие братья поженились, а меньшой ходит холостой. А купеческая дочь как пришла домой, только на разуме и держит, чтобы выйти за него замуж; сватали ее разные богатые купцы, только не выходит за них. «Ни за кого, — годорит, — не пойду замуж, окромя за такого-то молодца». Отец и мать ее уговаривать: «Что ты, дура, задумала? опомнись! как можно итти за бедного мужика». Она отвечает: «нужды вам нет до этого! не вам с ним жить!» Вот купеческая дочь подговорила себе сваху и послала к тому парню, чтоб непременно шел ее сватать. Пришла к нему сваха и говорит: «Послушай, голубчик! ты что зеваешь? ступай сватать купеческую дочь, она давно тебя поджидает и с радостью за тебя пойдет». Молодец сейчас собрался, надел новой армяк, взял новую шапку и пошол прямо на двор к купцу сватать за себя его дочь. Как увидала его купеческая дочь и узнала, что это подлинно тот самой, у которого хуй по колена, не стала и разговаривать, начала просить у отца, матери их родительского навеки нерушимого благословения. Легла она спать с мужем первую ночь и видит, что у него хуишка так себе, меньше перста. «Ах, ты подлец! — закричала на него. — Ты хвастался, что у тебя хуй по колена; где же ты его дел?» — «Ах, жена сударыня! ведь ты знаешь, что я холостым был оченно беден; как стал собираться играть свадьбу — денег у меня не было, не на что было подняться, я и отдал свой хуй под заклад». — «А за сколько ты его заложил?» — «Не за много, всего за пятьдесят рублей». — «Ну, хорошо же; завтра пойду я к матушке, выпрошу денег и ты непременно выкупи свой хуй, а не выкупишь — и домой не ходи!» Дождалась утра и сейчас побежала к матери и говорит: «сделай милость, матушка! дай мне пятьдесят рублей, очень нужно!» — «Да скажи, на что нужно-то?» — «А вот, матушка, для чего: у моего мужа был хуй по колена, да как стали мы играть свадьбу, ему, бедному, не на что было подняться, он и заложил его за пятьдесят рублей. Теперича у моего мужа хуишка так себе, меньше перста, так непременно надо выкупить его старой хуй!» Мать, видя такую нужду, вынула пятьдесят рублей и отдала дочери. Та прибегает домой, отдает мужу деньги и говорит: «Ну, ты теперича беги как можно скорее, выкупи свой старый хуй: пускай чужие люди им не пользуются!» Взял молодец деньги и пошол с очей долой; идет и думает: куда мне теперича деваться? где такого хуя жене достать? пойду, куда глаза глядят. Шол он близко ли далеко ль, скоро ли коротко ль, и повстречал старуху. «Здравствуй, бабушка!» — «Здравствуй, доброй человек! куда путь держишь?» — «Ах, бабушка! коли б ты знала, ведала мое горе, куда я иду!» — «Скажи, голубчик, твое горе, может я твоему горю и пособлю». — «Сказать-то стыдно!» — «Небось, не стыдись, а говори смело!» — «А вот, бабушка! похвастался я, что у меня хуй по колена, услыхала эти речи купеческая дочь и вышла за меня замуж, да как ночевала со мной первую ночку и увидела, что хуишка мой так себе, менее перста, она заортачилась, стала спрашивать: куда девал большой хуй? а я сказал ей, что заложил дескать за пятьдесят рублей, вот она дала мне эти деньги и сказала, чтоб непременно его выкупил; а коли не выкуплю — чтоб и домой не показывался. Не знаю, что моей головушке и делать-то!» Старуха говорит: «отдай мне свои деньги, я пособлю твоему горю!» Он сейчас вынул и отдал ей все пятьдесят рублей; а старуха дала ему кольцо. «На, — говорит, — возьми это кольцо, надевай только на один ноготок». Парень взял кольцо и надел; как надел на ноготок — хуй у него сразу сделался на локоток. «Ну, что? — спросила старуха, — будет твой хуй по колена?» — «Да, бабушка, еще хватил пониже колен». — «Ну-ка, голубчик! надвинь кольцо на целой перст». Он надвинул кольцо на целой перст — у него хуй вытянулся на семь верст. «Эх, бабушка! куда ж я его дену? ведь мне с ним беда будет!» А старуха: «надвинь кольцо опять на ноготок — будет с локоток. Теперича с тебя довольно! Смотри ж, всегда надевай кольцо только на один ноготок». Он поблагодарил старуху и пошол назад домой, идет и радуется, что не с пустыми руками явится к жене. Шол, шол и захотелось ему поесть; своротил он в сторону и сел неподалеку от дороги около репейника, вынул из котомки сухариков, размочил в воде и закусил. Захотелось отдохнуть ему; он тут же лег вверх брюхом и любуется кольцом: надвинул на ноготь — хуй поднялся вверх на локоть, надвинул на целый перст — хуй поднялся вверх на семь верст; снял кольцо и хуишка стал маленькой, по-прежнему да по-старому. Смотрел-смотрел на кольцо, да так и уснул, а кольцо позабыл спрятать, осталось оно у него на груди. Проезжал мимо в коляске один барин с женою и увидал: спит неподалечку мужик, а на груди у него светится кольцо, как жар горит на солнце. Остановил барин лошадей и говорит лакею: «поди к этому мужику, возьми кольцо и принеси ко мне». Лакей сейчас побежал и принес кольцо к барину. Вот они и поехали дальше. А барин любуется колечком; «посмотри, душенька, — говорит своей жене, — какое славное кольцо; дай-ка я надену его». И сразу надвинул на целой перст — у него хуй вытянулся, спихнул кучера с козел и прямо потрафил кобыле под хвост; кобылу пихает, да коляску вперед подвигает. Видит барыня, что беда, крепко перепугалась и кричит громким голосом на лакея: «Беги скорей назад к мужику, тащи его сюда!» Лакей бросился к мужику, разбудил его и говорит: «иди, мужичок, скорей к барину!» А мужик кольцо ищет. «Мать твою так! ты кольцо взял?» — «Не ищи, — говорит лакей, — иди к барину, кольцо у него; оно, брат, много хлопот нам наделало». Мужик побежал к коляске. Барин просит его: «Прости меня! пособи моему горю!» — «А что дашь, барин?» — «Вот тебе сто рублей!» — «Давай двести, так пособлю!» Барин вынул двести рублей; мужик взял деньги, да и стащил у барина с руки кольцо — хуя того как не бывало; остался у барина его старой хуишка.* Барин уехал, а мужик пошол с своим кольцом домой. Увидала его жена в окошечко, выбежала навстречу. «Ну, что, — спрашивает, — выкупил?» — «Выкупил». — «Ну, покажь!» — «Ступай в избу, не на дворе ж тебе показывать!» Вошли в избу; жена только и твердит: покажь да покажь! Он надвинул кольцо на ноготь — стал хуй у него с локоть; вынимает из порток и говорит: «смотри, жена!» Она зачала его целовать: «вот, муженек! пущай лучше эдакое добро при нас будет, чем в чужих людях. Давай-ка поскорей пообедаем, ляжем да попробуем!» Сейчас наставила на стол разных кушаньев и напитков, поит да кормит его. Пообедали и пошли отдыхать. Как пробрал он жену своим хуем, так она целые три дня под подол засматривала: все ей мерещится, что промеж ног торчит!

Пошла она к матери в гости, а муж тем времячком вышел в сад и лег под яблонею. «Что же, — спрашивает мать у дочери, — выкупили хуй-то?» — «Выкупили, матушка!» Вот купчиха только о том и думает, как бы ухитриться, сбегать к зятю, покудова дочь здеся, да попробовать его большого хуя. Дочь-то заговорилась, а теща и удрала к зятю; прибежала в сад, смотрит — а зять спит себе, — кольцо у него надето на ноготок — хуй стоит с локоток. «Дай-ка я теперича залезу к нему на хуй», — думает теща, взлезла и давай на хую покачиваться. Вот на ту беду надвинулось как-то кольцо у сонного зятя на целой перст — и потащил хуй тещу вверх на семь верст. Дочь видит, что мать куда-то ушла, догадалась и бросилась домой; в избу — нет никого; она в сад — смотрит — муж спит, его хуй высоко торчит, а наверху чуть-чуть видно тещу; как ветром поддаст — она так и завертится на хую, словно на рожне. Что делать, как матушку с хуя снять? Набежало на то место народу видимо - невидимо, стали ухитряться да раздумывать. Одни говорят: «больше нечего делать, как взять топор да хуй подрубить»; а другие говорят: «нет, это не годится! За что две души погубить; как срубим хуй — ведь баба на землю упадет — убьется. Лучше миром помолиться, авось каким чудом старуха с хуя свалится!» На ту пору проснулся зять, увидал, что у него кольцо надето на весь перст — а хуй торчит к небу на семь верст и крепко прижал его самого к земле, так что и повернуться на другой бок нельзя! Начал потихоньку кольцо с пальца сдвигать, стал у него хуй убывать; сдвинул на ноготь — стал хуй с локоть, и видит зять, что на хую торчит теща. «Ты, матушка, как сюда попала?» — «Прости, зятюшка, больше не стану!»†

**вар.* Мужик устал дорогою, лег в стороне и заснул, а кольцо позабыл снять с пальца; вот кольцо и сдвинулось с ноготка на палец — хуй и протянулся на семь верст, лежит через дорогу словно дубовая колода. Вдруг скачет во весь дух на тройке добрых лошадей молодой барин, наскакал на хуй — кряк — ось пополам! Что за диво такое? пошли и добрались по хую до мужика. Разбудил его барин: «отчего, скажи, у тебя хуй такой большой?» Мужик рассказал. «Продай мне кольцо?» — «Купи». — «Что стоит?» — «Сто рублей!» Барин заплатил и поехал, дорогой надел кольцо на весь палец и не знает что делать с хуем; не рад и кольцу. Опять к мужику. «Сделай по-старому», — а тот взял еще сто рублей и снял кольцо с руки барина.

† *Вар.* Зять лег спать в избе, хуй у него стоял на локоть; теща в зарод вошла, влезла на хуй к нему и ну покачивать; кольцо сдвинулось, хуй поднялся выше и выше, проломил потолок, пробил крышу и высунулся с тещею поверх трубы.

ВОЛШЕБНОЕ КОЛЬЦО II

Был-жил портной, у него было такое волшебное кольцо: как наденешь на палец, так хуй и выростит! Случилось ему работать у одной барыни, а он был такой весельчак да шутник: когда спать ложился, никогда своего хуя не закрывал. Вот эта барыня увидала, что у него хуй очень велик; позадорилась на эдакую збрую и позвала его к себе. «Послушай, — говорит, — согласись сделать со мной грех, хоть один раз!» — «Отчего не так, барыня! только с уговором: чур не пердеть! а если уперднешься, то с тебя триста рублей!» — «Хорошо», — сказала барыня. Легли они; вот барыня всячески старается, чтобы как можно под портным не усраться, и приказала своей горнишной девке приготовить большую луковицу и заткнуть ей жопу, и покрепче придерживать обеими руками. Воткнула барыне в жопу луковицу и стала придерживать; а портной как взобрался на нее, да напер — куда к ебеной матери и луковица вылетела, да прямо в горнишную, так ее до смерти и убила! Пропало у барыни триста рублей. Взял портной деньги и пошол домой; шол-шол долго ли коротко ли и лег в поле отдохнуть; надел на палец свое кольцо — у него хуй и протянулся на целую версту; лежал, лежал, да так и заснул. Откудова не возьмись семь волков, стали хуй глодать, одной плеши не съели — и то сыты наелись. Проснулся портной — будто мухи кляп покусали. Снял с руки кольцо, спрятал в карман и пошол в путь-дорогу. Шол-шол, и зашол ночевать к одному мужику, а у того мужика была жена молодая, до больших хуев великая охотница. Лег портной спать на дворе и выставил хуй наружу. Увидала мужикова жена; — как ухитриться? Подошла, заворотила подол и наставила чужой хуй в свою пизду. Портной видит — дело ладно, стал потихоньку кольцо на палец надевать — стал у него хуй больше да больше выростать, поднял ее вверх на целую версту. Пришлось бабе не до ебли, уцепилась за хуй обеими руками. Увидали добрые люди, соседи и знакомые, что баба на хую торчит — давай молебен служить: обое целы будут! Стал портной помаленьку снимать с руки кольцо, хуй понизился, баба свалилася. «Ну, ненаебная пизда! смерть бы твоя была, коли б хуй-то подрубили».

РАЗЗАДОРЕННАЯ БАРЫНЯ

В некотором царстве, в некотором государстве жил богатой мужик, у него был сын по имени Иван. «Что ты, сынок, ничем не займешься?» — говорит ему отец. «Еще поспею! дай-ка мне сто рублей денег, да благослови на промысел». Дал ему отец сто рублей денег. Пошол Иван в город; идет мимо господского двора и увидал в саду барыню: очень из себя хороша! остановился и смотрит сквозь решетку. «Что ты, молодец, стоишь?» — спросила барыня. «На тебя, барыня, засмотрелся: уж больно ты хороша! коли б ты мне показала свои ноги по щиколки — отдал бы тебе сто рублей!» — «Отчего не показать! На смотри!» — сказала барыня, и приподняла свое платье. Отдал он ей сто рублей и воротился домой. «Ну, сынок! — спрашивает отец, — каким товаром занялся? Что сделал на сто рублей?» — «Купил место да лесу для лавки; дай еще двести рублей, надо заплатить плотникам за работу». Отец дал ему денег, а сын опять пришол и стоит у того же сада. Барыня увидала и спрашивает: «Зачем, молодец, опять пришол?» — «Пусти меня, барыня, в сад, да покажи свои коленки, отдам тебе двести рублей». Она пустила его в сад, приподняла подол и показала свои коленки. Парень ей отдал деньги, поклонился и воротился домой. «Что, сынок, устроился?» — «Устроился, батюшка; дай мне триста рублей, я товару накуплю». Отец дал ему триста рублей, а сын сейчас отправился к барынину саду, стоит и глядит сквозь решетку. А отец думает: «дай-ка схожу, посмотрю на его торговлю». Пошол за ним следом и посматривает. «Зачем, молодец, опять пришол?» — спросила барыня. Парень отвечал ей: «не во гнев тебе, барыня, сказать: позволь поводить мне хуем по твоей пизде, я за то дам тебе триста рублей». — «Пожалуй!» Пустила его в сад, взяла деньги и легла на траву; а парень скинул портки и стал ее хуем тихонько по губам поваживать, и так раззадорил, что барыня сама просит: «ткни в срединку! пожалуста ткни!» А парень не хочет: «Я просил только по губам поводить». — «Я отдам тебе назад все твои деньги», — говорит барыня. «Не надо!» — а сам все знай поваживает по губам-то. «Я у тебя шестьсот взяла, а отдам тысячу двести, только ткни в срединку!» Отец глядел-глядел, не вытерпел и закричал из-за решетки: «бери, сынок! копейка на копейку хороший барыш!» Барыня услыхала, да как вырвется и убежала. Остался парень без копейки и заругался на отца: «Кто просил тебя кричать-то, старый хрен!»

ПО-СОБАЧЬИ

В некотором царстве жил-был дворянин, у него была дочь — красавица. Пошла она как-то погулять, а лакей идет за ней позади, да думает: «эка ловкая штука! Ничего б кажись не желал в свете, только б отработать ее хоть один разок, тогда б и помирать не страшно было!» Думал, думал, не вытерпел и сказал потихоньку: «ах, прекрасная барышня! шаркнул бы тебя хоть по-собачьи!» Барыня услыхала эти слова и как воротилась домой, дождалась ночи и позвала к себе лакея. «Признавайся, мерзавец! — говорит ему, — что ты говорил, как я гулять ходила?» — «Виноват, сударыня! так-то и так-то говорил». — «Ну, коли хотел, так и делай сейчас по-собачьи, не то все папиньке расскажу...» Вот барыня заворотила подол, стала посреди горницы раком и говорит лакею: «Нагибайся да нюхай, как собаки делают!» Холуй нагнулся и понюхал. «Ну, теперича языком лизни, как собаки лижут!» Лакей лизнул раз и два и три раза. «Ну, теперь бегай вокруг меня!» Начал он кругом барышни бегать; обежал разов десяток, да опять пришлось нюхать и лизать ей языком. Что делать? Морщится да нюхает, плюет да лижет! «Ну, теперича на первый раз будет! — сказала барышня, — ступай ложись себе спать, а завтра вечером опять приходи». На другой день вечером опять барышня позвала к себе лакея: «Что ж ты, мерзавец! сам не идешь? не всякой же день за тобой посылать; сам знай свое дело!» Сейчас заворотила свой подол и стала раком, а лакей стал ей под жопою нюхать и языком в пизде лизать; обежит кругом ее разов десять да опять понюхает да полижет. Эдак долгое время угощала его барышня, да потом сжалилась, легла на постель, заворотила подол спереди, дала ему разок поеть и простила всю вину. Лакей отработал да и думает: «Ну, ничего! хоть и полизал да свое взял».

ДВЕ ЖЕНЫ

Жили-были два купца, оба женатые, и жили они промеж себя дружно и любовно. Вот один купец и говорит: «Послушай, брат! давай сделаем пробу, чья жена лучше мужа любит». — «Давай; да как пробу-то сделать?» — «А вот как: соберемся-ка да поедем на Макарьевскую ярмарку, и которая жена пуще станет плакать, та больше и мужа любит». Вот собралися в путь, стали их провожать жены: одна плачет, так и разливается, а другая прощается и сама смеется. Поехали купцы на ярмарку, отъехали эдак верст пятьдесят и разговорились между собой. «Ишь как тебя жена-то любит, — говорит один; — как она плакала-то на прощаньи; а моя стала прощаться — а сама смеяться!» А другой говорит: «Вот что, брат! теперя жены нас проводили, воротимся-ка назад, таким образом, да посмотрим, что наши жены без нас делают». — «Хорошо!» Воротились к ночи и вошли в город пешие; подходят наперед к избе того купца, у которого жена на прощании горько плакала; смотрят в окошко:

она сидит себе с любовником и гуляет. Любовник наливает стакан водки, сам выпивает и ей подносит: «На, милая, выпей!» Она выпила и говорит: «друг ты мой любезный! теперя я твоя». — «Вот какие пустяки: вся моя! что-нибудь есть и мужнино!» Она оборотилась к нему жопою и говорит: «Вот ему блядскому сыну — одна жопа!» Потом пошли купцы к той жене, которая не плакала, а смеялась; пришли под окошко и смотрят: перед иконами горит лампадка, а она стоит на коленах, усердно молится да приговаривает: «Подаждь, Господи! моему сожителю в пути всякого возвращения!» — «Ну вот, — говорит один купец другому, — теперь поедем торговать». Поехали на ярмарку и торговали очченно хорошо: такая задача в торговле была, какой никогда не бывало! Пора уж и домой; стали собираться назад и вздумали купить своим женам по гостинцу. Один купец, у которого жена Богу молилась, купил ей славной парчи на шубку, а другой купил жене парчи только на одну жопу: «ведь моя одна жопа! так только мне пол-аршина и надобно: я свою жопу не хочу паскудить!» Приехали и отдали женам гостинцы. «Что ж ты купил эдакой лоскут?» — говорит жена с сердцем. «А ты вспомни, блядь, как сидела ты с любовником и говорила, что моя только жопа; ну, я свою часть и снарядил! нашей парчу на жопу да и носи!»

ДОБРЫЙ ОТЕЦ

В одной деревне жил веселый старик, у него были две дочери — хорошие девицы. Знали их подруги и привычны были к ним на поседки сходиться. А старик и сам был до девок лаком; завсегда по ночам, как только они уснут, то и ползет щупать, и какой подол ни заворотит — ту и отработает; а девка все молчит, такое уж заведение было. Ну, мудреного нет, таким образом может он и всех-то девок перепробовал, окромя своих дочерей. Вот и случилось, в один вечер много сошлось к ним в избу девок, пряли и веселились, да потом и разошлись все по домам: той сказано молотить рано поутру, другой мать ночевать наказала дома, у третьей отец хворает. Так все и разошлися. А старик храпел себе на полатях, и ужин проспал, и не видал как девки-то ушли. Проснулся ночью, слез с полатей и пошол ощупывать девок по лавкам, и таки нащупал на казенке большую дочь, заворотил ей подол и порядком-таки отмахал, а она спросонок-то отцу родному подмахнула. Встает поутру старик и спрашивает свою хозяйку: «а что, старуха, рано ли ушли от нас ночевщицы?» — «Какие ночевщицы? девки еще с вечера все ко дворам ушли». — «Что ты врешь! а кого же я на казенке-то дячил?» — «Кого? вестимо кого: знать большую дочуху». Старик засмеялся и говорит: «ох, мать ее растак!» — «Что, старой чорт, ругаешься?» — «Молчи, старая кочерга! я на доньку-то (на дочку-то) смеюся; ведь она лихо подъебать умеет!» А меньшая дочь сидит на лавке да обертывает онучею ногу, хочет лапоть надевать, подняла ногу да и говорит: «ведь ей стыдно не подъебывать-то; люди говорят: девятнадцатой год!» — «Да правда! евто ваше ремесло!»

ПОП И ЗАПАДНЯ

В одной деревне был мужик, промыслом мясник: бил он скотину да продавал говядину, а мясо-то хранил в сарае. Только в этом сарае было окно, и повадились туда лазить собаки и кошки и таскать мясо. Вот мужик и поставил в окне капкан; прибежала попова собака и попала в капкан да издохла. Жалко попу собаки, а делать нечего, купил другую, и боится: как бы и эта не пропала. Думал-думал, как бы пособить горю да насмеяться над мужиком и надумался; пришол к сараю, скинул штаны, взлез на окно и ну срать в капкан. А капкан как спустится, да как схватит попа за муде — закричал он благим матом. Прибежал мужик. «Ах, мать твою раз-эдак! какой чорт тебя занес сюда? Уж впрямь — дурья порода!» Сбежался народ, кое-как отцепили попа, а он тут же издох, так и повалился!

ПОП, ПОПАДЬЯ, ПОПОВНА И БАТРАК

Собрался поп нанимать себе работника, а попадья ему приказывает: «смотри, поп, не нанимай похабника; у нас дочь невеста!» — «Хорошо, мать! не найму похабника». Поехал поп, едет себе путем дорогою, вдруг попадается ему навстречу молодой парень, идет пешком-шажком. «Здравствуй, батька!» — «Здравствуй, свет! куда Бог несет?» — «Хочу, батька, в работники наниматься». — «А я, свет, еду искать работника; наймись ко мне». — «Изволь, батька!» — «Только с тем уговором, свет, чтоб по-соромски* не ругаться». — «Я, батька, отродясь не слыхивал, как и ругаются-то!» — «Ну, садись со мной; мне такого и надо». А поп ехал на кобыле; вот он поднял ей хвост и указывает кнутовищем на кобылью пизду: «а это, свет, что?» — «Пизда, батька!» — «Ну, свет, мне эдаких похабников не надо; ступай, куда хошь!»† Парень видит, что дал маху, делать нечего, слез с телеги и стал раздумывать, как бы ухитриться да надуть попа. Вот он обогнал попа стороною, забежал вперед, шубу свою выворотил и опять идет навстречу: «Здравствуй, батька!» — «Здравствуй, свет! куда Бог несет?» — «Да вот, батька, иду наниматься в работники». — «А я, свет, ищу себе работника; иди ко мне жить, только с уговором: не ругаться по-соромски; кто из нас выругается по-соромски, с того сто рублей! хочешь?» — «Изволь, батька, я и сам терпеть не могу таких ругателей!» — «Ну, хорошо! садись, свет, со мною». Парень сел и поехали вместе в деревню. Вот поп отъехал маленько, поднял у кобылы хвост и показывает кнутовищем на пизду: «это, свет, что такое?» ! «Это тюрьма, батька!» — «Ай свет, я такого и искал себе работника». Приехал поп домой, вошел с батраком в избу, задрал у попадьи подол, показывает на пизду пальцем: «а это что, свет?» — «Не знаю, батюшка! я сроду не видывал такой страсти!» — «Не робей, свет! Это тоже тюрьма». Потом кликнул свою дочь, заворотил ей подол, показывает на пизду: «а это что?» — «Тюрьма, батюшка!» — «Нет, свет! Это подтюрьмок».‡ Поужинали и легли спать: батрак взлез на печь, собрал поповы носки, надел их на хуй обеими руками и закричал во все горло: «батька! я вора поймал! дуй скорей огня». Поп вскочил, бегает по избе, словно бешеный. «Не пускай его, держи его!» — кричит батраку. «Небось, не вывернется!» Поп вздул огонь, полез на печь и видит: батрак держится руками за хуй, а на хую надеты носки. «Вот он, батюшка, вишь, все носки твои заграбастал; надо наказать его, мошенника» — «Что ты, с ума что-ли спятил?» — спрашивает поп. «Нет, батька, я не люблю ворам потачку давать; вставай, мать! давай-ка его, мошенника, в тюрьму сажать». Попадья встала, а батрак ей: «становись-ка скорей раком!» Делать нечего, стала попадья раком, батрак и зачал ее осаживать. Поп видит, дело плохо и говорит: «Что ты, свет, делаешь? ведь ты ебешь!» — «А, батька! уговор-то был посоромски не ругаться; заплати-ка сто рублей!» Пришлось попу раскошеливаться; а работник отъеб попадью, держит хуй в руках да свое кричит: «Этого тебе, каналья, мало, что в тюрьме сидел, еще в подтюрьмок посажу тебя! Ну-ка голубушка, — говорит поповне, — отворяй подтюрьмок!» Поставил и ее раком, да зачал осаживать по-своему. Попадья накинулась на попа: «что ты смотришь, батька! ведь он дочь нашу ебет!» — «Молчи, — говорит ей поп; — за тебя заплатил сто рублей, не прикажешь ли заплатить и за нее столько же! Нет, пускай делает, что хочет, а я ничего говорить не стану!» Отработал батрак поповну, как нельзя лучше. Тут поп и прогнал его из дому.**

* *Вар.* матерным.

† *Вар.* Парень спроста отвечает: «по выше-то жопа, а по ниже-то пизда!» — «Ну, брат, слезай с телеги долой, да убирайся от греха к хую; меня с тобою попадья и в избу-то не пустит: она похабнаво до смерти не любит».

‡ *Вар.* Пришол поп с батраком в избу, попадья села на лавку, подняла подол, расставила ноги и говорит батраку: «смотри-ка, что это у меня?» А батрак будто испугался, как побежит из избы вон; она его ухватила: «Чего ты, глупенькой, боишься? ведь это право ничего». А тут еще попова дочь заворотила подол, да спрашивает батрака:«а у меня-то что?» Батрак дрожит со страху, да посматривает на двор. «Ну, — говорит попадья, — мы тебя, голубчик, больше стращать не будем; а вот помни, что я тебе скажу: у меня-то меж ног тюрьма, а у дочки-то перетюрьм-тюрьма; кто провинится в воровстве или в чем ином нехорошем — того сюда и посадим!»

** *Вар.* Вот батрак и ухитрился: украл серебреную ложку и привязал ее мочалкою на хуй. Стала обыскивать его попадья, спустила с него портки, увидела ложку, засмеялась и говорит: «ишь тебя чорт догадал! Ведь я ж тебе говорила, что за воровство в тюрьму сажают?» — «Да я, матушка, и сам ворам не потатчик; за такую вину надо его, подлеца, посадить в перетюрьм-тюрьму». Поп с попадьей видят, куда оно пошло, и говорят: «на первой разде и простить можно!» — «Вы-то прощаете, — говорит батрак, — да я-то не прощу; ведь на меня худая слава пойдет! В перетюрьм-тюрьму его, бестию!» Поп и попадья стали его уговаривать, простить да кланяться, и упросили батрака, не сажать вора к поповне в перетюрьм-тюрьму, а взять за то сто рублей деньгами. Тем и сказка кончилась.

ПОРОСЕНОК

Жил-был в одном селе поп, толоконный лоб, у него была дочка, да такая уродилась прекрасная, что любо-дорого посмотреть. Вот и нанял поп себе батрака: детина ухарской! живет у попа месяц и другой, и третий. На ту пору у богатого мужика на деревне родила баба; приехал мужик и зовет попа окрестить младенца: «да милости просим, батюшка, пожалуйте вместе с матушкою, не оставьте!» А поповская порода на чужое добро лакома, за чужим угощением обосраться рада. Вот поп запрег кобылу и уехал с попадьей на крестины, а батрак остался дома вместе с поповною. Захотелось батраку есть, а в печи-то у попадьи было припасено два жареных поросенка. «Послушай, что я скажу, — стал говорить он поповне; — давай съедим этих поросят, ведь попа с попадьей дома нету!» — «И то давай!» Он сейчас достал одного поросенка и съели его вдвоем. «А другого, — говорит он поповне, — давай я запрячу тебе под подол, чтоб наши не нашли, да после сами и съедим! А когда поп с попадьей спросят про поросят — заодно скажем, что кошка съела!» — «Да как же ты под подол спрячешь?» — «Уж не твое дело! я знаю как». — «Ну, хорошо, спрячь!» Он велел ей нагнуться (стать раком), поднял подол, да и давай прятать своего сырова ей в пизду. «Ах, как хорошо ты прячешь! — говорит поповна; — да как же я его оттуда выну?» — «Ничего, помани только овсом, он и сам выйдет!» Таким манером уважил ее батрак так славно, что она сразу и сделалась беременною. Стало у ней брюхо расти, стала она поминутно на двор бегать: у ней в брюхе шевелится-то ребенок, а она думает — поросенок; выбежит на крыльцо, поднимет ногу, а сама сыпит на пол овес, да и манит: «чух, чух, чух!» — авось выйдет! Раз как-то и увидал это поп и стал с попадьей думать: ведь непременно дочь-то брюхата, давай-ка спросим у нее, с кем ее лукавой стрес? Призвали дочку. «Аннушка, подь сюда! что это с тобой, отчего ты очижелела (отяжелела)?» Она смотрит в оба и молчит; что такое, думает, меня спрашивают. «Ну, скажи же, отчего ты забрюхатела?» Поповна молчит. «Да говори же, глупая! отчего у тебя пузо велико?» — «Ах, маминька, ведь у меня в животе поросеночек, мне его батрак засадил!» Тут поп ударил себя в лоб, кинулся за батраком, а того и след давно простыл.*

* *Вар.* У того попа была большая свинья. Только поп с попадьей уехали, она и опоросилась и принесла одинадцать поросеночков. Поповна и говорит: «ведь наша свинья распросталась; ах, как мне поросятинки-то захотелось!» А батрак: «Ну, что ж? возьмем одного, заколим да и зажарим». — «Отец узнает!» — «Чорта с два! что он поп, так и узнает! Ведь свинья не равно поросится: иной раз принесет 6, а то и 10 поросят и больше!» Вот взяли они одного поросенка, закололи, ошпарили, положили на противень и поставили в печь, да и начадили на всю избу. Только сжарился поросенок, смотрят — а чорт попа несет! Что делать? куда девать поросенка? «Просунь голову в окно, — говорит поповне батрак, — да смотри далеко ли отец, а я стану прятать поросенка». Она высунулась в окошко, а батрак бросил поросенка под рогожу, сам скинул портки и заворотил поповне платье. «Что ты делаешь!» — «Я туда поросенка схороню! никто не найдет». Да как запихнул ей, ажно она заохала. «Ах, как больно! никак до крови?» — «Терпи, уж как-нибудь я его спрячу!» Приехал поп: «Что у вас чад в избе-то?» — «Должно быть в печи была головешка, — говорит батрак; — ишь и дочка-то ваша угорела, вся из лица переменилась!» С того самого часа и забрюхатела поповна, стал шевелиться у ней в брюхе ребенок, она и говорит батраку: «знаешь что? ведь тот поросенок, что тогда ты схоронил ко мне, у меня в брюхе ожил?» — «И впрямь?» — «Ей Богу! так и шевелится». — «Ну, его пирогом можно выманутъ!» Вот поповна взяла конец пирога, пошла в сарай к телеге, подняла левую ногу на колесо и кричит: «чух, чух, чух!...»

ДУХОВНЫЙ ОТЕЦ

Пришол великий пост: надо мужику итить на исповедь к попу. Завернул он в кулек березовое полено, обвязал его веревкою и пошол к попу. «Ну, говори, свет, в чем согрешил? а это у тебя что такое?» — «Это, батюшка, белая рыбица, тебе на поклон принес!» — «Ну, это дело хорошее! чай замерзла?» — «Замерзла, все на погребе лежала». — «Ну, когда-нибудь растаит!» — «Я пришол, батюшка, покаяться: раз стоял за обеднею да бзднул». — «Что это за грех? Я и сам один раз в алтаре перднул. Это ничего, свет! ступай с Богом». Тут зачал поп развязывать кулек, смотрит, а там березовое полено. «Ах, ты, бздун проклятой! где ж белорыбица-то?» — «Хуя не хочешь ли, пердун эдакой!»

ПОП И МУЖИК

В некотором царстве, в некотором государстве, а по правде сказать, в том, где мы живем, был-жил мужик, у него была молодая жена; вот муж-то пошол на заработки, а жена осталась дома беременная. А попу давно она приглянулась, и хочется ему, как бы умудриться, да мужику в карман насрать. Дождался он: пришла баба к нему на исповедь. «Здравствуй, Марья! — говорит поп, — где твой муж теперя?» — «Пошол на работу, батюшка!» — «Ах, он мошенник! как же он тебя-то оставил? Ведь он заклал тебе ребенка, да не доделал! Родишь теперь какого-нибудь урода, безрукого или безногого! и пойдет про тебя худая слава на целой уезд». Баба была оченно проста. «Что же мне делать, батюшка? нельзя ли помочь этому горю?» — «Похлопотать-то можно, только разве для тебя, а для твоего мужа не в жисть бы не согласился!» — «Похлопочить, батюшка!» — просит его баба со слезами. «Ну, так и быть, я тебе ребенка доделаю! приходи ужо вечером к нам в сарай. Я пойду за кормом скотине, тут тебе и исправлю». — «Спасибо, батюшка!» Пришла баба вечером к попу в сарай. «Ну, ложись, голубушка, хоть на солому». Легла баба и ноги растопырила; поп отвалял ее разов шесть и говорит: «Ступай домой с Богом! теперь все благополучно». Баба стала попу кланяться да благодарствовать. Вот воротился домой мужик, а баба сидит и губы надула — такая сердитая. «Что ты рыло-то воротишь? — спросил мужик. — Смотри, как бы я те не утер его!» — «Подикась! твое дело только гадить: ишь пошол из дому, а ребенка так и оставил недоделанным! Спасибо, поп уж смиловался — доделал, а то родила б тебе урода!» Видит мужик, что поп насрал ему в карман; «погоди ж, — думает, — и я тебе навалю». Пришло время, родила баба мальчишку; поехал мужик звать попа на крестины. Собрался поп, окрестил младенца и сел за стол да стал попивать водочку. «Эка славная водка! — говорит поп хозяину. — Ты б послал кого за попадьею, и она б выпила». — «Я сам пойду за ней, батюшка!» — «Поди, свет!» Пришол мужик и зовет попадью. «Спасибо, что нас не забываешь! сейчас оденусь!» — говорит попадья. Стала убираться да наряжаться, положила на лавку золотые серьги, а сама принялась умываться; только смочила глаза водою — а мужик взял и спрятал к себе серьги. Умылась попадья и давай искать серег — нет нигде. «Не ты ли мужичок взял?» — спрашивает она у мужика. «Как можно, матушка! я хоть и видел, куда они запропастились, да сказать совестно». — «Ничего, сказывай!» — «Ты, матушка, на скамью-то села, а пизда их и съела!» — «Нельзя ли как достать их оттудова?» — «Пожалуй, для тебя постараюсь!» Заворотил ей подол, запендрячил и начал валять; отделал раз другой, и вытащил свой кляп и повесил ему на плешь одну сережку. «Вот достал, матушка!» Слазил на попадью еще раза два, достал и другую серьгу. «Замучился ты, бедной! да уж потрудись еще; третьего года пропал у нас медный чугун, поищи, нет ли и его там!» Отработал ее мужик еще раза два. «Нет, матушка, не достанешь! Чугун-то, он тут, да повернулся дном кверху, зацепить незашто!» Вот покончивши это дело, пришла попадья к мужику на крестины и говорит: «а ты, батька, чай заждался?» — «И то заждался!..... Тебя (говорит мужику) только за смертью посылать!» — «Что ты, батька! ведь у меня было серьги пропали; я положила их на лавку да сама-то и села, а пизда их и съела; спасибо мужику, уж он мне достал!» Поп услыхал и надулся, сидит как сыч. Вот тебе, невестка, на отместку.*

* *Вар.* Поехала попадья с мужиком на крестины, выехала в чистое поле и слезла до ветру; исправила свое дело и захотела помыть руки хоть в луже; сняла кольцо и положила наземь; мужик взял его и babприпрятал. Далее рассказ тот же: мужик достает кольцо у попадьи из пизды и надевает его себе на хуй.

ПОП И МУЖИК II

Жил мужик с женою. Только ему пришла нужда ехать в Москву; что делать: жена беременна, а ехать надо. «Ладно, — говорит он жене; — я поеду в Москву, а ты живи без меня поскромнее, да повоздержнее». Сказал и уехал. А дело-то было великим постом. Баба говела и пошла к попу на дух. Баба-то была собой хороша. Вот поп ее на духу и спрашивает: «отчего у тебя брюхо велико?» — «Согрешила, батюшка, жила с мужем, сделалась тяжела; а теперича он в Москву уехал». — «Как в Москву?» — «Да, батюшка». — «А долго ль проездит?» — «Почти с год». — «Ах, он мошенник, заделал ребенка и не доделал: ведь это смертной грех! Делать нечего: я твой отец духовной и должон тебе доделать, а за хлопоты приноси-ка три холста!» — «Сделай божескую милость, — просит баба, — избавь от смертного греха, доделай, а ему мошеннику, как приедет с Москвы, все глаза выцарапаю!» — «Ну, свет, рад послужить тебе; а то грешно, коли до его приезда станешь носить младенца!» Так дело-то и обделалось.

А поп был женатой и у него были две дочери; вот он и боится, как бы попадья про его шашни не узнала. Хорошо. Приехал мужик с Москвы, а жена его уж давно родила; только что входит он в избу, баба и напустилась на него: «ах, ты сукин сын, мошенник! наказывал мне жить воздержнее, а сам у меня ребенка заделал да не доделал, так и уехал! Спасибо еще: батюшка-поп мне его доделал, а то что бы я стала делать?» Мужик догадался, что дело неладно, и говорит себе: «погоди, я его долгогривого колухана обтяпаю!» Случилось в одно время летом, поп служил обедню, а дом его был подле самой церкви. Мужик собирался ехать в поле на пашню и понадобилась ему борона, а у попа их было три. Мужик пошол к попу в церковь и стал просить борону. Поп рад всячески ему угодить, чтоб только до попадьи не довел его шашней, боится отказать и говорит: «возьми хоть все три!» — «Да без тебя, батюшка, не дадут; скричи попадье-то хоть из окошка, чтоб все три дали». — «Хорошо, свет, ступай». Мужик к попадье пришол и говорит: «матушка! батюшка велел вам всем трем мне дать...» — «Что ты, свет, с ума что ли сошол?» — «Спроси его хоть сама; ведь он мне сейчас приказывал». Попадья и кричит попу: «поп! ты велел нам дать мужику?» — «Да, да, все три дайте». Делать нечего, стали давать мужику по очереди; он начал с попадьи, а кончил меньшой поповною, и воротился домой. Как только пришол поп от обедни, попадья и давай его ругать: «ах, ты чорт, колухан! с ума что ли спятил! всех дочерей перепортил; ну меня одну уж так и быть бы, а то всех трех велел ему отделать». Поп хвать себя за бороду и побежал к мужику: «я тебя в суд потащу, ты моих дочерей перепортил!» — «Не сердись, батька! — говорит мужик, — ты любил чужих ребят доделывать, да еще за труды холстом брал; вот теперя мы с тобой поквитались». Помирился поп с мужиком и стали жить большими приятелями.

Та же интрига в одном варианте выставляется, как случившаяся между племянником и дядею, который вздумал доделывать ребенка.

Задумал Иван, как бы дяде Кузьме насмешку отплатить. На ту пору Кузьмы дома не было, оставались одни бабы. Ванька взял веревку, привязал корову за рога и повел вдоль деревни. Увидала из окна тетка и говорит: «видно Ванька-то совсем промотался: последнюю корову повел продавать. Сноха, поди-ка спроси его, куда ведет корову?» Сноха выбежала и спрашивает: «куда повел корову?» — «Да рассердился на жену, так и веду: где-нибудь проебу!» — «Дай ему, сноха! — говорит тетка, — пусть чужим корова не достается!» Сноха согласилась. «Веди корову на двор!» — закричала она Ваньке; вот он привел ее на двор, привязал к столбу; положил сноху на солому, отделал, как надо, и хочет зашивать ей пизду: вынимает иголку и нитки. Та испужалась, да в избу. «Ну, где ж корова?» — спрашивает тетка. Та чуть не плачет: «поди сама! он отделать-то отделал, да еще хотел пизду зашить: очень-де широка!» — «Ну, ступай ты, Матрешка! — стала посылать тетка свою дочь — девку; — хош незадаром твоя честь пропадет, все корову возьмешь!» Пошла Матрешка к Ваньке; он положил ее на солому, отработал и стал вынимать ножик. «Ах, старая чертовка! — говорит Ванька, — что она на смех высылает? весь хуй до крови ободрал. Я не пожалею, что родня, разрежу пизду-то!» Матрешка испужалась и побежала в избу. «Сама ступай, старая ведьма! — говорит с плачем матери; — мне и так больно, а он хотел еще ножом резать». А старуха говорит: «уж разве мне пойти — старинкой тряхнуть!» Пошла к Ваньке, он и ее положил на солому да и стал смеяться: «у меня-де и дома много в погребу снегу!» Вынул огниво и хочет поджечь солому. Старуха давай Бог ноги, а Ванька отвел свою корову назад домой и пошол навстречу к дяде. Повстречались. «Здорово, дядюшка!» — «Здорово!» — «Спасибо, что без меня в моем дому порядок держал! Да что у тебя волос на голове совсем нету?» — «Что делать, Бог взял!» — «Хошь, я сделаю, что у тебя на голове будут волосы; только пошепчу тебе в шапку — и дело с концом!» Взял дядину шапку, зашол за куст, насрал в нее, заслал сверху травкой и надел дяде на голову. «Смотри, дядя, трои суток носи — не скидывай!»

ПОП И БАТРАК

Жил поп с попадьею; у них были две дочери. Нанял себе поп работника; дождался весны, сам поехал на богомолье, а работнику приказывает: «смотри, свет, к моему приезду чтоб ты весь огород скопал и гряды поделал». — «Слушаю, батюшка!» Вот батрак кое-как скопал огород колом, да все время и прогулял. Воротился поп, пошол с попадьей на огород, видит — ничего не сделано. «Эх ты, свет! Ужлиш не знаешь, как огороды копают?» — «То-то и оно, что не знаю! коли б знал — так бы и сделал». — «Ну, свет, ступай в горницу, спроси у дочерей, чтоб дали тебе железную лопатку; я тебе покажу, как копать-то». Батрак побежал в горницу прямо к дочерям: «Ну, барышни, батюшка приказал вам, чтоб вы обе мне дали». — «Чего?» — «Сами знаете чего — поеть!» Поповны на него заругались. «Нечего тут ругаться-то! батюшка велел, чтобы скорей меня отпустили: надо гряды копать. Коли не верите, сами у него спросите». Одна сестра сейчас выбежала на крыльцо и кричит: «батюшка! вы приказали дать работнику?» — «Дайте ему поскорее; что вы его там держите!» — «Ну, сестрица! — говорит воротившись поповна, — нечего делать — надо ему дать; батюшка приказал». Тут они обе легли и работник лихо их отмахал. После того схватил в сенях лопату и побежал к батьке на огород. Поп показал ему, как копать гряды, а сам с попадьей пошол в горницу; смотрит, а дочери плачут. «О чем вы плачете?» — «Как нам не плакать, батюшка! Сам же ты велел работнику над нами насмеяться». — «Как насмеяться?» — «Да ведь ты велел, чтоб мы ему дали!» — «Ну, что ж? я велел дать ему лопату». — «Какую лопату! он нас обеих перепортил, невинность нашу нарушил». Поп, как услыхал это, сильно рассердился; схватил кол и прямо на огород. Батрак видит, что поп с колом бежит к нему — не с добром; бросил лопату и давай Бог ноги от попа бежать. Поп за ним, а батрак шибче, так и укрылся с батькиных глаз. Пошол поп отыскивать своего батрака. Идет, а навстречу ему мужичок. «Здравствуй, свет!» — «Здравствуй, батюшка!» — «Не попадался ли тебе навстречу мой работник?» — «Не знаю, какой-то парень пробежал бойко». — «Это он самой и есть! пойдем, мужичок, со мною, пособи мне его отыскать; я тебе за то заплачу». Вот пошли они вместе; прошли немного, повстречался им цыган. «Здравствуй, цыган!» — говорит поп. «Здаров бул, батинька!» — «Что, не попадался ли тебе навстречу какой парень?» — «А, батинька, какой-то проскочил мимо». — «Это он самой и есть! пособи нам отыскать его; я тебе заплачу за это». — «Изволь, батинька!» Пошли они втроем. А батрак прибежал в деревню, надел на себя другую одежу и сам идет попу навстречу. Поп не узнал его, и стал спрашивать: «что, свет, не видал ли ты какого мужика по дороге?» — «Видел, в деревню побежал». — «Ну, брат, пособи нам его найти». — «Извольте, батюшка». Пошли все четверо искать попова батрака, пришли в деревню, ходили-ходили до самого вечера: нет толку. Стало темно: где бы переночевать? Вот приходят они к одной избе, в которой вдова жила; стали проситься на ночлег. Вдова отвечает: «добрые люди! у меня эту ночь потоп будет! пожалуй еще потонете». Но сколько она не отказывалась — не могла отказаться и впустила их на ночь. А к ней эту ночь обещался прийти любовник. Вот взошли в избу и легли спать. Поп думает: «что, коли в самом деле будет потоп? — взял большое корыто, поставил на полку и лег в корыте: — коли будет потоп, — думает себе, — так я стану в корыте по воде плавать». Цыган лег на шестке, головой в золу; мужик лег за столом на лавке, а попов работник у самого окна на скамье. Только улеглись они, и уснули все крепким сном; один попов работник не спит, и слышит он, что под окошко подошол хозяйкин любовник и стучится: «отопри, душенька». Работник встал, отворил и тихонько говорит ему: «ах, миленькой мой! ты пришол не во-время. Теперича у меня ночуют чужие люди в доме; приходи на ту ночь». — «Ну, миленькая! — говорит любовник, — нагнись в окошко, хоть мы с тобой поцелуемся!» Работник поворотился к окну жопою и высунул свою сраку; любовник и поцеловал ее всласть. «Ну, прощай, миленькая! будь здорова; на ту ночь приду к тебе». — «Приходи, душа! я стану дожидаться, а на прощание дай, миленькой, свой хуй — мне хоть в руках его подержать: все как будто будет повеселее». Вот он вывалил из штанов на окно свой кляп: «на, милая, полюбуйся!» А батрак взял тот кляп в руки, побаловал-побаловал, вынул нож из кармана и отхватил у *н*его хуй вместе с мудями. Любовник закричал благим матом — и без памяти домой. Работник затворил окно, сидит себе на лавке и чавкает ртом, будто что ест. Мужик услыхал, проснулся, да и спрашивает: «что ты, брат, ешь?» — «Да вот нашол на столе кусок калбасы, только никак не угрызу: такая сырая!» — «Даром, брат, что сырая, — дай-ка мне кусочек попробовать». — «Э, брат, мне и самому мало! да пожалуй, на тебе один конец, ешь на здоровье», — и отдал мужику отрезанной хуй. Мужик с голодухи начал его жевать; грыз-грыз, никак не может откусить, и говорит: «Что, брат, с нею делать? никак не угрызешь; эдакая сырая!» — «Ну, ты положь колбасу в печь; пускай поджарится, тогда ты и съешь». Мужик встал, подошол к печке и сунул колбасу прямо на цыганские зубы; подержал, подержал и стал пробовать: «нет, ничего колбаса не упарилась! ее и огонь не берет». — «Да полно тебе с нею-то возиться; еще пожалуй хозяйка услышит — забранится. Небось, в печке-то огонь весь разгреб; залей его водою, чтоб хозяйка не узнала». — «Да где воды-то искать?» — «Ну, посцы туда! чем на двор идти, лучше огонь залей». Мужику крепко хотелось сцать, и зачал он прямо цыгану в рожу сцать. Как почуял цыган, что откуда-то вода льет ему прямо в рот, подумал: пришол-де потоп, и стал кричать во все горло: «ай, батинька, потоп, потоп!» Поп услышал голос цыгана, и захотел спросонок прямо на корыте спуститься на воду, да как шлепнется об пол — все ребра себе и переломал. «О, Боже мой! — кричит поп; — когда падает малой ребенок, Бог подставляет под него подушку, а как старому придется упасть — так чорт борону подставит. Вот теперича я весь разбился! Не найти мне верно разбойника моего батрака». А работник: «И не ищи лучше; ступай-ка с Богом домой — будет здоровее!»

ПОП И БАТРАК II

Нанял поп батрака. Раз поутру говорит поп батраку: «давай-ка позавтракаем да пойдем молотить». Сели завтракать; поели того-сего, потом попадья дала на закуску три яйца: попу два — а батраку одно. Пошли они на ток молотить; взяли цепы и стали работать; поп ударит цепом два раза, а батрак — один раз, поп — два раза, а батрак один раз. Поп видит, что батрак выдает его в работе, рассердился и говорит: «что ты, свет, со мною шутишь, что ли? Я как следует молочу, а ты все выжидаешь: я ударю цепом два раза, а ты супротив меня только один раз!» — «Послушай, батюшка, — сказал батрак, — когда мы завтракали, так ты два яйца съел, а я одно; от того и силы у меня меньше!» — «Что ж ты, свет, давно мне этого не скажешь? я бы приказал матке, чтоб тебе и другое яйцо дала. Ступай в избу, да скажи матке, чтоб дала тебе другое яйцо, съешь да и ворочайся назад». Батрак бросил цеп, прибежал в избу и говорит попадье: «матушка! поп приказал, чтоб ты мне дала». — «Чего тебе дать?» — «Сама догадаешься — вестимо поеть! только давай поскорее, батька велел торопиться». — «Что ты, проклятой, с ума спятил? Эдакие речи говоришь!» — «Ну, сама спроси у попа, коли не веришь». Попадья вышла на двор и кричит: «послушай, батька! ты велел работнику дать?» — «А ты еще не дала! — кричит ей поп; — дай ему поскорее, да отпусти: пусть молотить идет». Попадья вошла в избу. «Ну, правда твоя!» — говорит работнику и легла на лавку за столом. Батрак взлез на нее, живо отмахал, торопится уйти, чтоб поп-то не застал, и прямо с попадьи полез через стол, и тут с его хуя потекло на стол соплей-таки — порядочно. Вышел на двор и дал тягу от попа. Вот поп помолотил, помолотил и думает: «что такое значит, что по сю пору нет работника; дай схожу за ним». Пришол в избу и спрашивает у попадьи: «где же батрак?» — «Как обработал, так сейчас и ушол». Поп думает, что попадья говорит об яйце, подошол к столу и видит, что на столе нагажено и говорит жене: «Эка ты ему уважила! верно дала яйцо всмятку; ишь не мог он окуратно съесть, на стол розлил».* А попадья посмотрела на стол и говорит: «Эка подлец! это как он с меня слез прямо через стол — верно с его хуя и натекли сопли; надо убрать». — «Что, что! — спрашивает поп, — что он с тобой сотворил!» — «Да что ты приказал, то и сотворил — отъеб меня!» Поп начал на себе длинные волоса рвать... *(Продолжение этой сказки отличается от окончания предыдущей сказки только в немногих деталях.)*

* *Вар.* Подошол к столу и говорит: «ишь ты, мать, с батраком яишницу ела, да разлила!» Взял соли, посолил да и слизал языком. (Этим и кончается сказка.)

ЧЕСАЛКА

Купил старик своей старухе тулуп, да под забором всю ночь ее и еб; поутру стала погода мокрая; идет старушонка, сгорбилась, да плачет, а старик вслед за нею да на жену так и скачет. Старуха своему старику говорила: «не разорви меня, Гаврила!» А старик был на ухо крепок, тех речей не расслухал, да ей в черево свой хуй вбухал и еб ее до усеру. Не насытится никогда око зрением, а жопа бздением, нос табаком, а пизда хорошим елдаком: сколько ее не зуди — она все гадина недовольна! Это присказка, сказка впереди.

Жил-был поп. У попа была дочка еще невинная девка. Пришло лето, стал поп нанимать работников косить сено, и нанимает с таким уговором: если дочь его пересикнет через стог сена, что работник накосит, то и заработной платы ему нет. Много нанималось к нему рабочих, да все работали на попа даром: поповна что не выйдет, так стог и пересикнет. Вот договорился с попом один удалой работник с тем, что будет он косить попу сено, и коли поповна пересикнет, то вся работа пойдет ни за што. Стал работник косить сено; накосил и сметал в стог; лег подле стога, вынул из порток свой хуй и давай его надрачивать. А дочь попова идет к работнику посмотреть на работу, глядит на него да и спрашивает: «что это ты, мужичок, делаешь?» — «Чесалку поглаживаю». — «Что ж ты этою чесалкою чешишь?» — «Давай я тебя почешу! ложись на сено». Легла попова дочка, он начал ее чесать, да и промахнул ее как следует.* Встала поповна и говорит: «какая славная чесалка!» Потом стала сикать через стог — нет, не берет; только себя обосцала, словно из решета вылила! Приходит к отцу и сказывает: «оченно велик стог — не смогла пересикнуть». — «Ах, дочка! верно больно хороший работник! я его на год найму». Как только пришол работник за расплатою, поп и пристал к нему. «Наймись, свет, на год!» — «Хорошо, батюшка!» Нанялся он к попу. А поповна так ему рада! приходит ночью к батраку и говорит: «почеши меня!» — «Нет, я даром чесать не буду; принеси сто рублей, купи себе чесалку!» Поповна принесла ему сто рублей, он и начал чесать ее кажную ночь. После того батрак поссорился с попом и говорит ему: «рассчитай меня, батька!» Рассчитался и ушол. А дочери на ту пору не было; приходит она домой: «где работник?» — «Он, — говорит поп, — рассчитался и сейчас ушол на деревню». — «Ах, батюшка! что вы сделали? ведь он мою чесалку унес». И пустилась бежать за ним в погонь; нагоняет его около речки, батрак засучил портки и стал переходить вброд. «Отдай мою чесалку!» — кричит попова дочь. Батрак поднял камень, бросил его в воду: «возьми себе!» — говорит; перешел на ту сторону и был таков! Поповна подняла подол, полезла в воду и ну искать чесалку: шарит по дну — нет чесалки. Ехал мимо барин и спросил: «что ты, голубушка, ищешь?» — «Чесалку; я купила ее у батрака за сто рублей, а он уходя унес было, да я погналась за ним, так он и бросил ее в воду. Барин вылез из брички, скинул с себя штаны и полез искать чесалки. Искали - искали вдвоем. Вот попова дочь увидала, что у барина висит хуй; как схватит его обеими руками; держит, а сама кричит: «ах, барин! стыдно тебе, ведь это моя чесалка; отдай назад!»† — «Что ты делаешь, бесстыдная? Пусти меня!» — говорит барин. «Нет, ты сам бесстыдник! чужое добро хочешь взять. Отдай мою чесалку!» — и потащила барина за хуй к своему отцу. Поп смотрит в окно: дочка тащит барина за хуй, да все кричит: «отдай, подлец, мою чесалку!» — а барин жалобно просит: «батька, избавь от напрасной смерти! век тебя не забуду!» Что делать? Поп вынул из порток свой поповской кляп, показывает дочери в окошко и кричит: «дочка, а дочка! вот твоя чесалка!» — «И то моя! — говорит дочь, — ишь с конца-та красная! а я уж думала, что барин ее взял!» Сейчас бросила барина и бегом в избу. Барин навострил лыжи — только пятки показывает. А девка вбежала в избу: «где ж моя чесалка, тятинька!» — «Ах, ты сякая такая! — напустил на нее поп; — гляди, матка, ведь у нее честности нет!» — «Полно, батька, — сказала попадья, — посмотри сам, да получше». Поп долой портки, и давай свою дочь ети: как стало попа забирать — он ржет да кричит: «нет, нет, не потеряла дочка честности...» Попадья говорит: «батька! засунь ей честность-то подальше». — «Небось, матка, не выронит; далеча засунул!» А дочь-то еще молоденька, не умеет подымать ноги круто. «Круче, дочка, круче!» — кричит попадья; а поп: «ах, матка! и так вся в куче!» Так-то и нашла попова дочь чесалку. С тех пор стал поп их обеих чесать, состряпал им по куколке, и доселева живет: дочку с матушкой ебет!

* *Вар.* В одном селе, против неба на земле, жил поп Сирах, носил рясу в дырах; жил он без лишних затей, а семья у него сам-третей: была одна дочь Катерина, да батрак. В одно время поповна печку топила, а батрак стоял против огня, и встал у него хуй, ажно сорочка поднялась. Увидала попова дочка и стала батрака спрашивать: «что это у тебя за бурак под рубашкою торчит?» — «Ах, барышня! Это у меня не бурак, а чесалка!» — «Какая ж такая чесалка? Нельзя ли и меня один раз чесонуть?» — «Ишь ты, барышня, какой у тебя завидливой глазок! что не увидишь — то и просишь.» И начал батрак чесать поповну, и с тех пор чесал ее по тех пор, пока не поднялось у ней брюхо к носу; тут батрак с попом рассчитался, да и драла от него.

† *Вар.* Ищет поповна в реке чесалку; приходит поп и давай вместе с нею шарить; поднял рясу, а портки-то еще до берегу спустил; дочь увидала у него хуй и кричит: «батюшка! отдай мою чесалку!» Поп туда-сюда; она все свое: «отдай мою чесалку!»

СУД О КОРОВАХ

В одной деревне жил-был поп да мужик; у попа было семь коров, а у мужика только одна, да хромая. Только поповы глаза завистливы; задумал поп, как бы ухитриться да отжилить у мужика и последнюю корову: «тогда было бы у меня восемь!» Случился как-то праздник, пришли люди к обедни, пришел и тот мужик. Поп вышел из алтаря, вынес книгу, развернул и стал читать середь церкви: «послушайте, миряне! аще кто подарит своему духовному пастырю одну корову — тому Бог воздаст по своей великой милости: та одна корова приведет за собой семеро!» Мужик услыхал эти слова и думает: «что уж нам в одной корове! на всю семью и молока не хватает! сделаю-ка я по писанию, отведу корову к попу. Может и впрямь Бог смилуется!» Как только отошла обедня, мужик пришол домой, зацепил корову за рога веревкою и повел со двора к попу. Привел к попу. «Здравствуй, батюшка!» — «Здорово, свет! что хорошего скажешь?» — «Был я сегодня в церкви, слышал, что сказано в писании: кто отдаст своему духовному отцу одну корову, тому она приведет семеро! Вот я, батюшка, и привел к вашей милости в подарок корову». — «Это хорошо, свет, что ты помнишь слово Божие: Бог тебе воздаст за то седьмерицею. Отведи-ка, свет, свою корову в сарай и пусти к моим коровам. Мужик свел свою корову в сарай и воротился домой. Жена ну его ругать: «зачем, подлец, отдал попу буренку? с голоду что ли нам пропадать, как собакам?» — «Эка ты, дура! — говорит мужик, — разве ты не слыхала, что поп в церкви читал? дождемся, наша корова приведет за собой еще семь; тады похлебаем молока досыта!» Целую зиму прожил мужик без коровы. Дождались весны: стали люди выгонять в поле коров, выгнал и поп своих. Вечером погнал пастух стадо в деревню; пошли все коровы по своим дворам, а корова, что мужик попу подарил, по старой памяти побежала на двор к своему прежнему хозяину; семеро поповых коров так к ней привыкли, что и они следом за буренкою очутились на мужицком дворе. Мужик увидал в окошко и говорит своей бабе: «смотрикась, ведь наша корова привела за собой целых семь. Правду читал поп: Божие слово завсегда сбывается! а ты еще ругалась? Будет у нас теперича и молоко, и говядинка».* Тотчас побежал, загнал всех коров в хлев и накрепко запер. Вот поп видит: уж темно стало, а коров нету, и пошол искать по деревне. Пришол к этому мужику† и говорит: «зачем ты, свет, загнал к себе чужих коров?» — «Поди ты с Богом! у меня чужих коров нет, а есть свои, что мне Бог их дал: это моя коровушка привела за собой ко мне семеро, как, помнишь, батька! сам ты читал на праздник в церкви». — «Врешь ты, сукин сын! это мои коровы». — «Нет, мои!» Спорили-спорили, поп и говорит мужику: «ну, чорт с тобой, возьми свою корову назад; отдай хоть моих-то!» — «Не хошь ли кляпа собачьего!» Делать нечего, давай поп с мужиком судиться. Дошло дело до архирея. Поп подарил его деньгами, а мужик холстом; архирей и не знает как их рассудить. «Вас, — говорит им, — так не рассудишь! а вот что я придумал! теперь ступайте домой, а завтра кто из вас придет раньше утром ко мне, тому и коровы достанутся». Поп пришол домой и говорит своей матке-попадье: «ты смотри, пораньше меня разбуди завтра утром!» А мужик не будь дурак, как-то ухитрился, домой-то не пошол, а забрался к архирею под кровать. «Здесь, — думает себе, — пролежу целую ночь и спать не стану, а завтра рано подымусь — так попу коров-то и не видать!» Лежит мужик под кроватью и слышит: кто-то в дверь стучится. Архирей сейчас вскочил, отпер дверь и спрашивает: «кто такой?» — «Я, игуменья, отче!» — «Ну, ложись-ка спать, игуменья, на постель». Легла она на постель; стал архирей ее щупать за титьки, а сам спрашивает: «что это у тебя?» — «Это, святый отче, сионские горы, а ниже — долы». Архирей взялся за пупок: «а это что?» — «Это пуп земли». Архирей спустил руку еще ниже, щупает игуменью за пизду: «а это что?» — «Это ад кромешный, отче!» — «А у меня, мать, есть грешник;‡ надо его в ад посадить». Взобрался на игуменью, засунул ей грешника и давай наяривать; отработал и пошол провожать мать-игуменью. Тем временем мужик потихоньку выбрался и ушол домой. На другой день поп поднялся до света, не стал и умываться — побежал скорей к архирею, а мужик выспался хорошенько, проснулся — уж давно солнце взошло, позавтракал и пошол себе потихоньку. Приходит к архирею, а поп давно его ждет: «что, брат, чай за жену завалился!» — подсмеивает поп. «Ну, — говорит архирей мужику, — ты после пришол...» — «Нет, владыко! поп пришол после; нешто ты позабыл, что я пришол еще в то самое время, как ты ходил по сионским горам, да грешника сажал в ад!» Архирей замахал обеими руками: «твои, — говорит, — твои, мужичок, коровы! точно твоя правда: ты пришол раньше!» Так поп и остался ни при чом; а мужик себе зажил припеваючи.**

* *Вар.* Вот как-то нанял поп мужика вычистить загороду, где коровы стояли; мужик стал чистить, да нарочно ворота и отворил, коровы и ушли со двора; а он не будь глуб, взял да и загнал всех поповых коров к себе.

† *Вар.* Пришол поп к мужику, а у того и ворота заперты; смотрит сквозь плетень, а мужик свежует поповых коров да солонину готовит.

‡ *Вар.* Иуда.

** *Вар.* В одном списке продолжается эта сказка так: Пришол поп домой. А у него жил батрак по сто рублей в год. Прожил семь лет, а ни за один год не получил денег. Стал он приставать к попу за расчетом, а поп говорит: «ты жил у меня семь лет и ни разу не говел; ты прежде исповедуйся, а там и разочтемся». Стал батрак говеть и пошол к попу на дух. «Признайся, свет, — говорит поп, — может у кого товар (т.е. скотину) из загороды выпустил-то, это грех большой!» — «Нет, батюшка, в том не грешен, а вот каюсь перед тобой на духу — семь лет еб твою сноху» — «Не в том дело, свет, а не спустил ли ты у кого со двора коров?» — «Нет, батюшка, не грешен; а вот в чем перед тобой каюсь — я до твоей попадьи добираюсь!» — «Полно, свет, пустяки говорить! я тебя спрашиваю, не спустил ли ты со двора моих коров?» — «Нет, батюшка, такого греха за собой не знаю, а вот — нечего таить — и на тебя мой кляп стоит!» — «Будь проклят ты, окаянной!» После того поп расчел батрака и остался и без коров и без работника.

СМЕХ И ГОРЕ

В некотором царстве, в некотором государстве жил-был поп; жил он над рекою и содержал на ней перевоз. Приходит к реке один раз бурлак и кричит с другого берега: «эй, батька, перевези меня!» — «А заплатишь, свет, за перевоз?» — «Заплатил бы, да денег нету!» — «А нету, так и перевозить не стану». — «Коли перевезешь, батька, я покажу тебе за то *смех* и *горе*». Поп задумался, захотелось ему увидать смех и горе; «про что такое, — думает он себе, — говорил сейчас бурлак?» Вот он сел в лодку и поехал на тот берег, посадил с собой бурлака и перевез на свою сторону.* «Ну, батька, ворочай лодку вверх дном!» — сказал бурлак. Поп перевернул лодку вверх дном и ждет себе: что будет? Бурлак вынул из порток свой молодецкой хуй и как ударит по дну — так лодка и развалилась надвое. Поп увидал такой заправской хуй — и рассмеялся; а после как раздумался о своей расколотой лодке — так стало ему жалко, что даже заплакал с горя. «Что, доволен мною, батька?» — спрашивает бурлак. «Шут с тобой! ступай куда идешь!» Бурлак простился с попом и пошол своей дорогой, а поп воротился домой. Только перешагнул через порог в избу — вспомнил о бурлаковом хуе и засмеялся, а там вздумал о лодке — и заплакал. «Что, батька, с тобою сделалось?» — спрашивает попадья. «Ты не знаешь, матка, моего горя!» — и сдуру рассказал ей обо всем, что с ним случилось. Как услыхала попадья про бурлака, сейчас напустилась на своего батьку: «ах, ты старой чорт! зачем ты его от себя отпустил! зачем домой не привел? ведь это не бурлак, это мой брат родной! Верно родители послали его нас с тобою проведать, а ты нет того, чтоб догадаться... запрягай-ка скорее лошадь, да гони за ним, а то он бедный блудить станет и пожалуй домой воротится, нас не видавши. Я хоть на него голубчика посмотрю, да про родителей-то расспрошу!» Поп запряг лошадь и погнал за мужиком; нагнал его и говорит: «послушай, доброй человек! что ж ты мне не сказался: ведь ты моей попадье родной брат. Как рассказал ей про твою удаль — она сейчас тебя признала и приказала тебя воротить». Бурлак сейчас догадался, к чему дело клонится: «да, — говорит, — это правда: я твоей попадье родной брат, да тебя, батюшка, преже сего никогда я не видал, а потому самому и признать тебя не умел!» Поп схватил его за руку и тащит на телегу: «садись, свет, садись! поедем к нам. Мы с маткою, слава Богу, живем в довольстве и благополучии, есть чем тебя употчивать». Привез бурлака; попадья сейчас выбежала к нему навстречу, бросилась бурлаку на шею и целует его. «Ах, братец любезный, как давно тебя не видала, ну что, как наши-то поживают?» — «По-старому, сестрица! меня послали тебя проведать». — «Ну и мы, братец, покудова Бог грехам терпит, живем помаленьку». Посадила его попадья за стол, наставила перед ним разных закусок, яишницу и водки, и ну угощать: «кушай, любезный братец!» Начали все они трое есть, пить и веселиться до самой ночи. А как стало темно, постлала попадья постель и говорит попу: «мы с братцем вот здесь ляжем, да поговорим про наших родителей: кто жив и кто помер; а ты, батька, ложись один на казенке, али на полатях». Вот полегли спать; бурлак взлез на попадью и начал ее попирать своим хуищем, так что она не утерпела — на всю избу завизжала. Поп услыхал и спрашивает: «что там такое?» — «Эх, батька, ты не знаешь моего горя: мой отец помер». — «Ну, царство ему небесное», — сказал поп и перекрестился. А попадья опять не выдержала, да в другой раз еще пуще того завизжала. Поп опять спрашивает: «о чем еще плачешь?» — «Эх, батька, ведь и мать-то моя померла!» — «Царство ей небесное! со святыми упокой!» Так-то вся ночь у них и прошла.† Поутру бурлак стал домой собираться, а попадья ну его угощать на прощание и вином-то и пирогами, так и суетится около него: «ну, братец любезный! коли опять будешь в этой стороне — завсегда к нам заходи!» А поп вторит: «не обходи нас; мы тебе всегда рады!» Попрощался с ними бурлак. Попадья вызвалась провожать братца, а за ней и поп пошол. Идут да разговаривают; вот уже и поле. Попадья говорит попу: «воротись-ка, батька, домой, что тебе идтить, я и одна теперича провожу братца». Поп воротился; прошел шагов с тридцать, остановился и глядит: далеко ль они ушли? А бурлак тем временем повалил матку на пригорок, взлез на нее и ну отжаривать на прощание; а чтобы ловчей надуть попа, надел ей на правую ногу свою шапку и велел задрать ногу-то кверху. Вот ебет ее, а попадья то и дело ногой да шапкой качает. Поп стоит да смотрит: «вишь, — говорит сам себе, — какой родственной человек-то! — далеко ушел, а все кланяется да шапкою мне махает!» Взял да скинул с себя шапку и давай кланяться: «прощай, шурин, прощай!» Отвалял бурлак попадью, да так ее утешил, что три дня под подол заглядывала; догоняет она попа, а сама с радости песни поет. «Сколько лет с ней живу, — сказал поп, — а доселева не слыхал от нее песен!» — «Ну, батька, — говорит попадья, — проводила я братца любезного, придется ли еще повидеться с ним в другой раз!» — «Бог не без милости! авось придет!»

* *Вар.* Жил-был поп, возле его дома протекала река, а на другой стороне стояла церковь. Случился праздник; зазвонили к обедни, поп сел в лодку и

переехал на тот берег. Только вылез он из лодки, а навстречу ему мужик: «перевези, батюшка, на ту сторону». — «Ах, свет! я бы перевез тебя, да к обедни давно прозвонили, опоздаю». — «Небось, без тебя не начнут служить обедни; а коли перевезешь, я покажу тебе: *смех* и *горе*». Поп перевез мужика. «Что ж, батюшка, очень желательно тебе видеть смех и горе?» — «Да, свет, очень желательно!» (Мужик хуем разбивает лодку.) Как теперь без лодки попасть попу в церковь? «Эка сукин сын мужик! какого горя наделал». Постоял-постоял поп над лодкою и пошол домой. «Что так рано воротился?» — спрашивает его попадья. «Так и так», — говорит ей поп.

† *Вар.* Наугощался мужик. «Ну, теперь пойдем в мою горницу, — говорит ему попадья; — потолкуем о родных, как проживают; ты, братец, расскажешь мне про свое житье, а я тебе про свое расскажу». Пошли вместе, а поп смекнул в чем дело-то, подошел к дверям и смотрит в щель: а там уж мужик матку на постели накачивает, так ее прижимает, что кровать шатается. Видит поп, что дело дрянь, а взойти в горницу боится; «только я помешаю, — думает он, — мужик убьет меня своим хуем! Видно так тому и быть».

ЧУДЕСНАЯ МАЗЬ

В некотором царстве, в некотором государстве жил-был мужик, парень молодой; не посчастливилось ему в хозяйстве, все коровы и лошади подохли, осталась одна кобыла. Стал он эту кобылу беречь пуще глаза, сам не доест — не доспит, а все за ней ухаживает: раздобрела во как кобыла! Раз както убирал он свою лошаденку, зачал ее гладить да приговаривать: «ах, ты моя голубушка! матушка! нет милее тебя!» Услыхала эти слова соседская дочь — девка ражая, и как собрались на улицу деревенские девки — она им и сказала: «ох, сестрицы! я стояла у себя на огороде, а сосед наш Григорий убирал на ту пору свою кобылу, да потом слазил на нее и ну целовать да приговаривает: «ах, ты голубушка моя, матушка! нет тебя милее на свете!» Вот девки и начали парню смеяться; где только не повстречают его, так и закричат: «ах ты матушка моя, голубушка!» Что делать парню; никуда глаз показать нельзя? Стал он печалиться. Вот увидала его старуха-тетка: «что, Гриша, не весел? что головушку повесил?» Он ей и рассказал про все это дело. «Ничего, Гриша, — сказала старуха, — все поправлю; приходи-ка завтра ко мне. Небось, перестанут смеяться!» Старуха-то была лекарка, да такая важная — на все село; а в избу к ней сходились на вечерницы девки. Вот она вечером-то увидала ту девку, что рассказала о Григорье, как он кобыле под хвост лазил, и говорит ей: «ты, девушка, заходи ко мне завтра поутру; мне надо кой о чем с тобой потолковать». — «Хорошо, бабушка!» На другой день встал молодец, оделся и пришел к старухе. «Ну, смотри, Гриша, чтоб у тебя припас-то готов был! а теперя становись за печку, да стой смирно, пока не позову». Только стал он за печкою, пришла и девка. «Здравствуй, бабушка!» — «Здорово, голубушка! Вот что, девушка, хочу тебе сказать: ведь над тобою худое деется, ведь ты, родимая, оченно больна...» — «Э, бабушка, я кажись совсем здорова!» — «Нет, голубушка, у тебя внутре то делается, что и подумать-то страшно! хошь теперя и не больно тебе, а как дойдет до сердца — в то время уж ничем не вылечишь; так и помрешь! Дайка я тебя за живот пощупаю». — «Пощупай, бабушка!» — говорит девка, а сама чуть не плачет со страху. Стала баба щупать ее за живот и говорит: «вишь, я правду сказывала! как только вчерась на тебя взглянула — сейчас догадалась, что с тобой не доброе деется. У тебя, голубушка, подле сердца жолтуха...» — «Полечи пожалуста, бабушка!» — «Уж коли хвораешь, так надо полечить; только стерпишь ли? ведь больно будет!» — «Что хошь делай, хошь ножом режь, да вылечи!» — «Ну, стань же ты вот тута, высунь голову в окошко и примечай: с какой стороны, с правой али с левой больше народу будет идти? а назад-то не моги оглядываться, а то все мое лекарство задаром пропадет: тогда и двух недель не проживешь!» Девка высунула свою голову в окошко и ну глазеть по сторонам; а старуха задрала ей хвост и говорит: «нагниська туда за окошко побольше; да не оглядывайся: сейчас стану мазать тебе помазком да деготьком!» Тут вызвала старуха потихоньку парня: «ну, работай!» Вот он и засунул девке помазок свой на целую четверть в глубь, и как стало у них заходиться — стала девка жопою вертеть, а сама просит: «бабушка, голубушка! мажь, мажь побольше своим деготьком да помазком!» Парень отвалял ее и ушол за печку. «Ну, девушка! — сказала старуха, — теперича такая будешь красавица — что любо-дорого!» Девка поблагодарила старуху: «спасибо, бабушка! какое славное у тебя лекарство-то! просто сласть!» — «У меня ничего худого нету! а это лекарство для баб и девок куда пользоватое! А с какой стороны народу шло больше?» — «С правой, бабушка». — «Ишь, какая ты счастливая!

Ну, ступай с Богом домой». Девка ушла, ушел и парень. Вот он пообедал и повел свою кобылу на реку поить. Девка увидала его, выскочила и кричит: «ах ты матушка моя, голубушка!» А он оборотился и ну передразнивать ее: «ох, бабушка-голубушка! мажь, мажь побольше своим деготьком да помазком!» Тут девка язык прикусила и стала жить с парнем дружно.

ЧУДЕСНАЯ МАЗЬ II

Жил-был молодец, повадился ходить мимо купеческого дома: как идет — прокашляется и скажет: «гуся ел, да попершилось!» Вот купеческая дочь и сказала: «у моего батюшки много денег, а кажной день не едим гусей!» — «Это бывает не богатством, а счастием» — отвечал молодец и пошел домой. А купеческая дочь позвала какую-то старую нищенку и посылает: «иди за этим молодцом вслед, да узнай, что он там обедает? Я тебя награжу за это». Молодец пришел домой, а за ним и нищенка просится отдохнуть в избе; вот ее и пустили. Только молодец жил в большой бедности. «Матушка, — говорит он, — нет ли чего поесть?» — «Щи вчерашние да третьевошная каша». — «Давай-ка сюда кашу». Подала мать кашу: «а масла, — говорит, — нету?» — «Да нет ли хошь сальной свечки?» — «На, вот, огарочек». Положил он свечной огарок в кашу и давай уплетать. Нищенка все это и рассказала купеческой дочери. Вот идет молодец мимо купеческого дома, да опять прокашлялся и сказал: «гуся ел, да попершилось!» А купеческая дочь в окошко кричит: «сальной огарок с кашей ел!» — «Ах, мать твою! почему она знает? Верно это нищенка ей сказала». Отыскал он нищенку и стал ее просить: «нельзя ли как поправить это дело? коли будут деньги — заплачу тебе!» — «Хорошо», — сказала старуха. Сейчас пошла к купеческой дочери: «как, сударыня, поживаешь?» — «Не совсем здорова, бабушка; все животом хвораю. Нельзя ли помочь моему горю?» — «Можно, прикажи истопить баню, я вам живот-то потру мазью». Вот истопили баню; старуха загодя спрятала там молодца, потом привела купеческую дочку, раздела всю донага, и говорит: «ну, сударыня, надо завязать тебе глаза, чтоб дурно не сделалось!» Завязала ей платком глаза, положила ее на лавочку и говорит: «теперь стану мазать легкою мазью!» — и провела по брюху рукою раза два. «А теперича будет потруднее!» Тут сказала молодцу, он взлез на девку, всунул ей свой кляп, да так, что она на всю баню закричала. «Потерпи маленько, сударыня! завсегда сначала больно бывает, а как обойдется — так по маслу пойдет, и живот заживет!» Зачал он махать купеческую дочку, забрало ее за живое, хорошо показалось; она и говорит: «мажь, бабушка, мажь! хороша твоя мазь». Сделал молодец с нею раз и спрятался; старуха развязала купеческой дочери глаза. Та посмотрела, а под нею кровь: «что это, бабушка?» — «Это дурная кровь из тебя вышла; полегчило ль тебе?» — «Полегчило, бабушка! ах, какая у тебя славная мазь, слаще меду! Нет ли еще?» — «Разве еще хочется?» — «Очень хочется, бабушка! что-то живот опять зачал побаливать». Завязала ей старуха глаза, положила на лавочку, а молодец опять стал ее махать по-свойски. «Мажь, бабушка, мажь! хороша твоя мазь!» — говорит купеческая дочь. Отделал молодец и спрятался; купеческая дочь встала и просит: «принеси мне, бабушка, этой мази, вот тебе сто рублей за лечение!» Так дело и кончилось. Вот идет молодец мимо купеческого дома и опять говорит: «гуся ел, да попершилось». А купеческая дочь кричит в окно: «сальную свечу с кашей ел!» А молодец в ответ: «мажь, бабушка, мажь, хороша твоя мазь!» Стало у купеческой дочери брюхо расти; приметила мать и спрашивает: «что это дочка, никуда ты из дому не ходишь, а брюхо у тебя выше носу подымается?» — «Ах, матушка! ведь это оттого — как ходила я с бабушкою в баню, она все мазала мне живот мазью, да такою славною, слаще меду!» Мать догадалась, позвала к себе нищенку и спрашивает: «ты, бабушка, мазала мою дочь в бане мазью?» — «Я, сударыня». — «Помажь и мне!» — «Изволь, помажу». Тотчас побежала за молодцом: «одевайся, иди, купчиха мази просит!» Пришли в баню; старуха завязала купчихе глаза и положила ее на лавку, а молодец взлез на нее и ну отжаривать. Тут купчиха поскорей платок с глаз долой, увидала молодца, поцеловала его за работу и говорит: «ну, молодец, живу я с мужем двадцать лет, а эдакой сласти не знавала. Вот тебе сто рублей; будь мужем моей дочери». Женился молодец на купеческой дочери и задал пир на весь мир, и я там был, медвино пил, по усам текло, в рот ни капли не попало!

ЧУДЕСНАЯ МАЗЬ III

Жил-был солдат, любил выпить; напала на него одышка, и пошол он к лекарке. Лекарка была хоть и старуха, да еще крепенькая; как увидала солдата, засвербело у ней межь ногами. «Что, служивой?» — «Да вот полечи от одышки». — «Раздевайся, да садись». Солдат сел, а лекарка поставила перед ним штоф водки: «кушай, служивой, на здоровье!» Солдат не заставил себя просить, так нализался, что в глазах зарябило: тут же повалился да и заснул. Старуха ну солдата ощупывать, добралась до пупа и пониже; да как завоет: «ах, я взбалмошная! что наделала; кляп-то у него не то чтобы ожил, а совсем загнулся...» Уложила солдата на кровать и сама улеглась подле; лежит да все щупает: не ожил ли хуй у него? А солдат храпит себе во всю ивановскую. Дотронулась она в последний раз до корня, и корень-то глядит за спину, и уснула. Перед рассветом солдат очнулся, увидал бабу подле себя и думает: «дай-ка ее сбоку хвачу!» — и придвинулся как следует. А старуха была чутка, говорит спросонок: «Что ты служивой делаешь? как тебе не стыдно?» — а сама еще больше на хуй навертывается. «А что, бабушка, разве для хворого это вредно? — я пожалуй выну». — «Что ты, служивой! засовывай, да нельзя ли поглубже; тебе оттого полегче будет!» Солдат отработал ее и ушел, приговаривая: «хоть не легче, так сытно!» На горе солдата на ту пору спала на полатях девка, старухина племянница, она все это видела и рассказала другим девкам; стали они солдата дразнить: «старуху качал! старуху качал!» Солдат терпел, терпел, и пошол с жалобой к старухе. «Ах, благодетель! — сказала старуха, — да что ты давно мне не рассказал про это, я бы отучила смеяться мерзких девчонок. Ах, они такие-сякие! да разве у старухи хуже ихной-то дыра! да где им, паскудным, так подмахивать! Послушай же, ко мне ходит лечиться одна девка от грыжи; так ты, служивой, приходи завтра вечером сюда, я тебя спрячу на кровать, а девку-то поставлю на четвереньки, да и заставлю тебя откатать ее на все корки!» Вот на другой день солдат по сказанному, как по писанному, пришел и лег на кровать. Прошло с полчаса — глядь: идет молодая девка. Как увидал ее солдат — у него жила натянулась и приподнялась не хуже штыка. Старуха огляделась на девку и говорит: «что ты, родимая! да у тебя меж ног блохи гнездушко свили, и вывесть их нельзя ничем, как только рукою; а то пожалуй умрешь». — «Яви, бабушка, божескую милость, вылечи!» — «Ну, делать нечего; не хотелось бы рукой туда лезть, да надо. На, вот тебе платок, завяжи глаза, разденься наголо, да стань на четвереньки». Девка все то сделала. Тут солдат подошел к мишени, взял хуй в обе руке и стал всаживать ей в пизду. Девка ну кричать: «больно, бабушка, больно!» — «Терпи, кормилица! вишь проклятые блохи как расплодились, даже в устьях поделали!» Солдат всунул ей на целую четверть, девка взвизгнула: «ой, бабушка, умру; больно, родимая, больно!» — «Постой, дитятко, я с деготьком попробую; авось легче будет». Солдат всадил хуй донельзя — девка и язык прикусила — и давай ее насаливать. Стало у них заходиться. «Вот теперь, бабушка, хорошо! право слово хорошо! Да нельзя ли еще деготьком подмазать? с деготьком-то задорнее! я уж у отца целую бадью с дегтем утащу, да тебе принесу». Солдат слышит, что девка-то разгорелась на гвоздю, и ну тискать свой хобот вместе с бубенчиками, да так разутешил, что сделал пизду шире шапки. «Ну что, легче ли? — спрашивает старуха, — кажись все подохли!» — «Как же, бабушка! теперь полегчило!» Солдат спрятался; девка встала, оделась и ушла. На другой день девка-широкопиздка повстречала солдата и стала его дразнить: «старуху качал! старуху качал!» А солдат ей говорит: «а с деготьком-то ведь лучше!»

ЧУДЕСНАЯ ДУДКА

В некотором царстве, в некотором государстве жил барин, да еще был мужик, такой бедной, что и сказать нельзя! Призвал его барин и говорит: «послушай, мужичок! долгу своего ты не платишь, и взять с тебя нечего; ступай ко мне и живи за долг три года». Прожил у него мужик год и другой и третий. Барин видит, что мужику скоро срок отходит, и думает: какую бы сыскать вину, чтоб еще оставить мужика при себе на три года. Позвал его барин и стал говорить: «послушай, мужичок! вот тебе десять зайцев, гони их пастись в поле, да смотри, чтоб все были целы! а то опять оставлю при себе на три года». Только погнал мужик зайцев в поле — они все у него разбежались в разные стороны. «Что делать? — думает он; — теперь пропал я!» — сел и плачет. Откудова ни возьмись — явился старик и спрашивает: «о чем, мужичок, плачешь?» — «Как мне, старик, не плакать! дал мне барин пасти зайцев, они все и разбежались; теперь беда мне неминучая!» Старик дал ему дудочку и говорит: «на тебе дудочку; когда заиграешь в нее, они все к тебе прибегут!» Мужик сказал спасибо, взял дудочку и только заиграл в нее — как тотчас все зайцы к нему прибежали. Он погнал их домой; барин пересчитал зайцев и говорит: «все целы!»

«Ну, что нам делать? — сказал барин своей барыне, — какую вину на мужике сыскать?» — «А вот что, душенька, когда он завтра погонит зайцев, я переоденусь в другое платье, пойду к нему и куплю одного зайца». — «Ну, хорошо!» Наутро погнал мужик зайцев в поле, и только подошел к лесу — они тотчас все разбежались в разные стороны; а мужик сел на траву и начал лапти плесть. Вдруг едет барыня, остановилась — подошла к нему и спрашивает: «что, мужичок, здесь делаешь?» — «Скотину пасу». — «Какую скотину?» Мужик взял дудочку и заиграл — все зайцы сбежались к нему. «Ах, мужичок! — сказала барыня, — продай мне одного зайчика». — «Никак нельзя, ведь это господские зайцы, а барин у меня оченно строг! он, пожалуй, меня совсем заест!» Барыня стала к нему приставать: «пожалуста, продай!» Мужик видит, что ей очень хочется зайчика, и говорит: «у меня, барыня, завет положен». — «Какой завет?» — «Кто даст поеть, тому и зайца уступлю». — «Возьми лучше деньгами, мужичок!» — «Нет, мне больше ничего не надо!» Барыня — делать нечего — дала мужику поеть; он обработал ее и подал ей зайца: «только, барыня, держи его потихоньку, а то раздавишь». Она взяла зайца, села в коляску и поехала. А мужик как заиграл в свою дудочку — этот заяц услыхал, выпрыгнул из рук барыни и ушол назад к мужику. Приехала барыня домой. «Ну что, купила зайца?» — «Купила-то, купила, только как мужик заиграл в свою дудочку, заяц выпрыгнул от меня и ушол». На другой день опять поехала барыня к мужику. Подходит к нему и опять спрашивает: «что делаешь, мужичок?» — «Лапти плету да господскую скотину пасу». — «Где ж твоя скотина?» Мужик заиграл в дудочку и сейчас сбежались к нему все зайцы. Барыня стала торговать зайца. «У меня положен завет». — «Какой?» — «Дай поеть». Барыня опять дала и получила за то зайца; а как мужик заиграл — заяц выскочил и ушол от нее. На третий день переоделся и поехал сам барин. «Что, мужичок, делаешь?» — «Скотину пасу». — «Да где ж твоя скотина?» Заиграл мужик в дудочку — сбежались к нему зайцы. «Продай мне одного!» — «За деньги не продам; у меня положен завет». — «Какой завет?» — «Кто захочет кобылу поеть — тому и зайца отдам». Барин взлез на кобылу и сотворил грех с нею. Мужик подал ему зайца и говорит: «Держи его, барин, потихоньку, а то задавишь». Барин взял зайца и поехал домой, а мужик заиграл в дудочку — заяц услыхал и ушол от него к мужику. Видит барин, что ничего не возьмешь и отпустил мужика жить на воле.

СОЛДАТ САМ СПИТ, А ХУЙ РАБОТАЕТ

Жил-был мужик, у него была молодая хозяйка. Вот пришли в деревню солдаты и поставили к этому мужику в постояльцы одного служивого. Как легли они вечером спать все вместе: хозяйка в средине, а мужик с солдатом по краям, мужик лежит да разговаривает с женою, а солдат улучил то времечко, и стал хозяйку через жопу валять. Мужик разохотился было и сам на бабу слазить и хотел ее пощупать — хвать за пизду рукою и поймал солдатской хуй. «Что ты делаешь, служивой?» А солдат храпит себе, будто спит крепким сном. «Ишь, какой служивой! — сказал мужик, — сам спит, а хуй в пизду направил». — «Извини, хозяин! и сам не знаю, как он туда попал!»

СОЛДАТ САМ СПИТ, А ХУЙ РАБОТАЕТ II

Долго подбирался солдат, как бы уеть хохлушку; вот и выдумал, и говорит хохлу: «Хозяин! у тебя в дому много чертей, спать на дают! а ты каково спал?» — «Я, слава Богу, хорошо!» — «Ну, я нынче с тобой ляжу!» Хохлушка говорит: «пущай с нами ляжет!» Хохол согласился; вот сам хозяин лег с краю, хозяйку положил в середку к себе передком, а солдат улегся к стене, и ну поталкивать хозяйку через жопу. Хохол протянул тихонько руку и ухватил солдата за хуй: «а, господа служба, сам спит, а хуяку пустил в чужую пиздяку!» — «Что ты, чортов сын! ухватил меня за хуй? — закричал солдат; — я и жене твоей не позволю — не только тебе!» — «А зачем, господа служба, пускаешь хуяку в чужую пиздяку?» — «Да разве он лазил туда?» — «Ишь какой! да я его оттуда насилу вытащил!» — «Экой блудливой шельма! Ну, надую ж ему бока; не станет он у меня шляться по чужим дырам».

БЕГЛЫЙ СОЛДАТ

Беглый солдат залез ночью к одному мужику в ригу и залег на сене спать. Только стал засыпать, слышит: кто-то идет. Солдат испугался и залез под самую крышу. Вот пришла туда девка, а за нею парень; принесли с собой вина и разных закусок; поставили в угол, разделись и давай целоваться, да любоваться. Парень повалил девку на сено и начал ее еть; девка подмахивает, а сама говорит: «ах, милой друг! коли Бог даст, да рожу я ребенка — кто за ним присмотрит, кто его выходит?» А парень отвечает: «тот, кто над нами!» Как услыхал эти речи, солдат не вытерпел и закричал: «ах, вы подлые! вы блуд творите, а я за вас отвечать буду!» Парень тотчас вскочил с девки да бежать; девка тоже — давай Бог ноги! а солдат слез наземь, забрал их одежу, вино и закуски, и пошел своей дорогой.

ТЕЩА И ЗЯТЬ — ДУРЕНЬ

Жил-был мужик с бабой, у них была дочь. Нашелся жених, высватал девку и женился на ней. Случилось зятю быть у тещи в гостях на святках. Теща посадила его за стол и начала угощать; поставила перед ним разных закусок, а сама зятя спрашивает: «послушай, сынок! у вас нонче какую животину к празднику били?» — «Да вишь мой батюшка перед самым праздником поймал суку в анбаре и так ее прибил, что она усцалась и усралась; насилу сука-то вырвалась, да бежать, а батька за нею вдогонку, нагнал ее у забора, как она лезла в дыру, да по пизде еще раз ударил!» — «Ну, нажила себе умного зятя! — думает теща; — экое словечко сбухал! больше ничего не спрошу у него».

БОЛТЛИВАЯ ЖЕНА

Жил-был мужик, и захотелось ему попытать: можно ли, когда случится, сказать жене тайну, али нет? Захотелось ему раз до ветру: он пошел на двор и высрался; воротился в избу, сел на лавку, повесил голову и так тяжело вздыхает, будто что худое сделал! Стала баба его спрашивать: «что ты, али захворал? какой давеча веселой был, а теперича ишь насупился!» — «Эх, жена, молчи! — говорит мужик, — сам не знаю перед добром или худом это со мной случилось!» Баба пристала: «скажи да скажи мне, что такое случилось?» — «Сейчас ходил я, жена, до ветру; только сел да перднул, как у меня из жопы вылетела одна сорока! вот я и думаю: к чему бы это такое было?» Как услыхала баба про сороку, тут же побежала к куме за каким-то делом, и давай ей рассказывать: «послушай, кума, что с моим мужем-то вчера случилось: пошел он до ветру, только перднул — как у него из жопы вылетело две сороки. К чему бы это такое?» — «Не знаю, кумушка!» Потолковали они, потолковали и разошлись. Кума побежала сейчас к своей куме, и говорит ей: «не слыхала ты, кумушка Арина! что с Иваном-то случилось? Ко мне жена его приходила и сказывала, что пошел он до ветру и только перднул раз — как у него из жопы вылетело три сороки!» Кума Арина побежала к соседям и нахвастала, что пошел Иван до ветру, а у него из жопы вылетело четыре сороки. Чем дальше шло — тем больше сорок прибывало; как обошла весть всех деревенских баб — оказалось, что у мужика из жопы вылетело двенадцать сорок, и так пошла на него слава, что и показаться никуда нельзя! кто не попадется на глаза, всяк его спрашивает: «как это, брат, у тебя из жопы двенадцать сорок вылетело? расскажи, пожалуста!»

СОЛДАТ И ПОП

Захотелось солдату попадью уеть; как быть? — Нарядился во всю амуницию, взял ружье и пришел к попу на двор. «Ну, батька! вышел такой указ, велено всех попов переетъ; подставляй свою сраку!» — «Ах, служивой! нельзя ли меня освободить?» — «Вот еще выдумал! чтоб мне за тебя досталось! скидай-ка портки поскорей, да становись раком». — «Смилуйся, служивой! нельзя ли вместо меня попадью уеть?» — «Оно, пожалуй, можно-то можно! да чтоб не узнали, а то беда будет! А ты, батька, что дашь? я меньше сотни не возьму». — «Возьми, служивой, только помоги горю». — «Ну, поди ложись в телегу, а поверх себя положи попадью, я взлезу и будто тебя отъебу!» Поп лег в телегу, попадья на него, а солдат задрал ей подол и ну валять на все корки. Поп лежал-лежал и разобрало его; хуй у попа понатужился; просунулся в дыру, сквозь телегу, и торчит, да такой красной! А попова дочь смотрела-смотрела и говорит: «ай, да служивой! какой у него хуй-то здоровенный: матку и батьку насквозь пронизал, да еще конец мотается!»*

* Записана в Московском уезде.

ДВА БРАТА ЖЕНИХА

Жил-был мужик; у него было два сына — парни большие. Стал старик со старухою советоваться: какого бы сына оженить нам — Грицька или Лавра? «Женим старшева», — сказала старуха. И стали они сватать за Лавра и сосватали ему невесту на самую масляницу в другой деревне. Дождались святой недели, разговелись; вот и собирается Лавр вместе с братом Грицьком ехать к невесте; собрались, запрягли пару лошадей, сели в повозку: Лавро, как жених, за барина, а Грицько за кучера, и поехали в гости. Только выехали за деревню, как Лавру захотелось уже срать; так налупился на разговенах! «Брат Грицько! — говорит он, — останови лошадей». — «Зачем?» — «Посрать хочу». — «Экой ты дурак! ужлиж ты станешь на своей земле срать? потерпи маленько, съедим на чужое поле — там вали хоть во все брюхо!» Нечего делать, понатужился Лавр, терпит — ажно в жар его бросает и пот прошибает. Вот и чужое поле. «Ну, братец, — говорит Лавр, — сделай такую милость, останови лошадей, а то невтерпеж: до смерти хочу срать!» А Грицько в ответ: «экой ты глупой! с тобой пропадешь; отчего не сказал, как ехали мы через свое поле: там смело бы сел и срал, покуда хотел. А теперь, сам знаешь: как срать на чужой земле! Еще, не ровен час, какой чорт увидит да поколотит нас обоих и лошадей отберет. Ты потерпи маленько; как приедим к твоему тестю на двор — ты выскочи из повозки и прямо в нужник, и сери себе смело; а я тем времянем лошадей выпрягу». Сидит Лавр на повозке, дуется да крепится. Приехали в деревню и пустились к тестиному двору; у самых ворот встречает своего будущего зятя теща: «Здравствуй, сынок, голубчик! уж мы тебя давно ждали!» А жених, не говоря ни слова, выскочил из повозки и прямо в нужник. Теща думала, что зять стыдится, схватила его за руку и говорит: «что, сынок, стыдишься? господь с тобой, не стыдись, у нас чужих людей никаких нету, прошу покорно в избу». Втащила его в избу и посадила за стол в переднем углу. Пришло Лавру невмоготу, начал под себя валить и насрал полные штаны, сидит на лавке, боится с места пошевелиться. Теща-то суетится: наставила перед гостями закусок, взяла штоф с вином в руки, налила и подносит первый стакан жениху. Только поднялся жених за стаканом и встал на ноги — как поплыло говно вниз по ляшкам да в голенищи: пошла вонь на всю избу. Что за причина! — воняет! Теща бросается по всем углам, глядит: не ребятишки ли где напакостили? нет, нигде не видать, подходит к гостям: «ах, любезные мои! у нас на дворе-то не совсем чисто; может кто из вас ногой в говно попал, встаньте-ко, я посмотрю: не замаран ли у кого сапог?» Осмотрела старуха Грицька — ничего нету, подошла к Лавру: «ну-ка, зятек, ты как приехал на двор — так и побежал к нужнику; не втяпался ли в говно?» Стала его щупать, и только дотронулась промеж колен — всю руку выпачкала. Заругалась она на жениха: «Что ты, с ума сошел, что ли? кой чорт тебе сделалось! ты верно не в гости приехал, а насмехаться над нами; подлая твоя душа! Еще не пил не ел, а за столом обосрался! Ступай же к чорту, будь ему зять, а не нам!» Тотчас призвала старуха свою дочку и говорит: «ну, дитя мое любезное! не благословляю тебя выходить за этого дрянного засерю, выходи за его брата: вот тебе жених!» Тут Лавра в сторону, а в передний угол посадили Грицька, начали пить, есть и прохлаждаться до самого вечера. Пристигла ночь, пора и спать ложиться. Старуха говорит гостям: «ну, ступайте с Богом спать в новой избе, а ты дочка, снеси туда перину, да постели жениху; а этому засере ничего не стели, пущай на голой лавке валяется!» Вот легли они спать: Грицько на перине, а Лавр скорчился на лавке; не спится ему, все думает: как бы от*о*мстить брату его насмешку. Слышит, что Грицько заснул крепко; он встал с лавки, взял стол и тихонько перетащил его к самым дверям; а сам опять улегся на лавке. В самую полночь проснулся Грицько, встал с перины и идет до ветру прямо к дверям, подошел, да как ударится о стол. «Что такое? где же двери?» — думает он; воротился назад, давай искать — куда не сунется, все стены. «Куда ж двери-то девались?» А срать так приспичило ему, хоть умирай! Что делать? сел у стола и насрал такую кучу, что на лопате не унесешь. Насрал и раздумался: «дело-то не ладно, надо говно до утра убрать!» Поглядел кругом и увидел в стене большую щель; как ляпнет — в щель-то не попал, а прямо в стену, говно отвалилось назад да прямо ему в рыло. Утерся Грицько руками; забрал еще пригорш*ню*, бросил в другой раз — опять то же самое. И стены вымазал и себя самого выпачкал. Надо умыться: стал искать воды; искал-искал и нащупал в печи чугун с красною краской, что яйца к празднику красят; вытащил и стал умывать руки и голову. «Ну, теперь ладно будет!» — лег Грицько спать и только заснул, брат его взял потихоньку стол и перенес на старое место. Стало совсем рассветать; пришла невеста жениха будить. «Вставай душенька! — говорит она, — уж завтрак готов». Да как глянула на него, и видит, что жених рожею на чорта смахивает, испугалась и побежала вон. Прибежала к матери, а сама-то разливается. «Что ты плачешь?» — спрашивает мать. «Как же мне не плакать? ведь я совсем пропала: поди-ка сама посмотри, что у нас в новой-то избе деется!» — «А что деется? там жених твой с братом». — «Какой жених? Это чорт, а не жених!» Пошли все трое: отец, мать и невеста в избу, где жених спал; только вошли — жених увидал их и усмехается с радости: одни зубы белеют, а лице все синее [sic] — настоящий бес! Они бежать вон. Старик запер избу накрепко и пошел к попу: «поди, батюшка, освяти у нас новую избу, да выгони оттуда нечистую силу: завелась-таки проклятая!» — «Как, свет, у тебя черти завелись? да я, свет, чертей-то сам боюсь!» — «Не бойся, батюшка! у меня есть кобыла: коли что случится — садись на нее верхом и уезжай; так ни то чорт — птица не поймает!» — «Ну, свет, так и быть, пойду выгонять нечистую силу, только чтоб кобыла была моя!» — «Ваша, батюшка! ваша!» — говорит мужик, а сам ему кланяется. Поп пошел к избе, захватил с собой дьячка и пономаря, нарядился в ризу, взял в руки кадильницу с огнем, посыпал ладаном; ходят они кругом избы и поют: «Святый Боже!» — «Ишь, — думает Грицько, — поп ходит со крестом; стану у дверей, неровно взойдет в избу — так попрошу у него благословения». Стал у дверей и дожидается. Поп обошел кругом избы три раза, подступил к дверям и только отворил да сделал шаг за порог — Грицько и протянул к нему свою синюю руку. Поп как бросится назад, да на кобылу верхом, и давай стегать ее по бокам кадильницею на место кнута. Кобыла помчалась во весь опор, а поп знай ее по бокам поджаривает, да как-то махнул и попал ей невзначай под хвост горячим, кобыла еще пуще понесла, бьет задом и передом, споткнулась и грянулась наземь; поп через нее кубарем, сломил себе голову и околел. А женихи дурни воротились себе домой ни с чем.

НЕВЕСТА БЕЗ ГОЛОВЫ

Отпросился солдат в отпуск; шел-шел путем-дорогою и пришлось ему ночевать у одного попа. У этого попа была дочь, и солдат уж дорогою слышал про нее, что к поповне ходит полюбовник. Сели ужинать; поп и спрашивает: «служивой! где ты служишь-та?» — «В Питере, батька!» — «А что, часто царя видаешь?» — «Да, бесперечь». — «Не слыхать ли у вас чего нового?» — «Слыхать-то слыхать, да говорить нельзя!» — «Скажи, свет!» — «Тады узнаешь, как указ будет». — «Пожалуста, свет, скажи!» Пристал поп к солдату, как банный лист к жопе. «Ну, батька! будет новая форма бабам насчет ебли: ноги в хомут и голову в хомут — так и ебись! Эдакая теперь пошла строгость во всем: даже еть нельзя без формы!» — «Что делать! ихняя воля!» — сказал поп, а дочь сидит себе да слушает. Вот легли спать: дочь на печи, а солдат на полатях. «Дай, батюшка, мне полено», — говорит солдат попу. — «А на что тебе, кавалер?» — «Да у вас пожалуй ночью волки ходят!» Поп рассмеялся, подал ему полено и говорит поповне: «вишь рассказывают, в Питере дураков нет; а вот — солдат, да и тот с дурью; коли так в избу ходят волки?» Вот в самую полночь пришел полюбовник к поповне на печь и хочет на нее лезть; она ему не дает: «найди, — говорит, — хомут! теперь на то новая форма царем уставлена, нынче солдат батьке сказывал!» — «Да где я тебе хомут-то возьму?» — «В сенях на гвозде висит». Вскочил он, принес хомут, надел поповне на ноги, а там задрал ей ноги кверху, как можно покрутее, и просунул в хомут поповнину голову. Только стал было ее запендрячивать, а солдат скочил с полатей, да как урежет его поленом по жопе, а сам кричит благим матом: «батюшка, волки!» Полюбовник удрал, не кончив дела, а поп с попадьей бросились на печь посмотреть: не съели ль волки поповну? Поп схватил ее за пизду, попадья за жопу и голосят себе: «ах, бедная дочка! отъели у тебя волки голову!» А солдат вздул огонь и на печь: тут поп с попадьей увидали, что дочка-то жива — в хомуте сидит. Солдат посмотрел и закричал: «да как вы смели без указу государева эдак делать?» — «Не сказывай, служивой! — просит поп; — вот тебе сто рублев». Солдат взял деньги и говорит: «Ну, батька, так и быть — ей по глупости прощаю, а коли б ты сам да с попадьей стал эдак еться — тысячи рублев бы не взял!»

БАБЬИ УВЕРТКИ

«Тетушка! я хочу у тебя попросить...» — «Ну, говори, что тебе нужно?» — «Я думаю, ты и сама можешь догадаться, что нужно». Тетка сейчас догадалась: «я бы, пожалуй, Иванушка, сделала для тебя удовольствие, да ведь ты не знаешь наших бабьих уверток». — «Авось, тетушка, как-нибудь и увернуся!» — «Ну, хорошо, приходи сегодня ночью к нам под окошко». Парень обрадовался, дождался ночи и пошел к дядину двору, а кругом двора-то была набросана кострика. Ходит он мимо окна, а кострика под ногами трещит! «Посмотри-ка, старик! — говорит тетка, — кто-то ходит около избы: не вор ли какой?» Дядя открыл окошко и спрашивает: «кто там по ночам шляется?» — «Это я, дядя», — отвечает племянник. «Какой чорт тебя сюда занес?» — «Да что, дядя! за спором дело стало: отец говорит, что у тебя изба срублена в девять венцов, а я говорю в десять. Вот я и пришел пересчитать». — «Разве он, старой чорт, разум-то прожил! — говорит дядя, — сам же рубил со мной избу в десять венцов!» — «Так, дядя, так; вот я пойду, отцу-то в глаза наплюю!» На другой день парень сказал тетке: «ну, тетушка! эдак пожалуй с тобой дела на сделаешь, а попадешься!» — «Экой ты чудной! дядя с тобой говорит, а я как к тебе выйду? А ты знаешь, где наша закута, куда овец загоняют, туда и приходи нынешнюю ночь. Уж я к тебе непременно выйду!» Парень послушался, пришел ночью в дядину закуту, прижался в угол и поджидает тетку. А тетка говорит своему мужу: «поди-ка хозяин! что-то у нас на дворе не здорово; нет ли зверя? Овцы наши что-то всполошились; уж не волк ли к ним забрался!» Старик вышел на двор и спрашивает: «кто здесь в закуте?» Племянник выскочил: «это я, дядюшка!» — «Зачем тебя чорт занес в эдакую пору?» — «Чего, дядюшка? отец не дает мне спокою; чуть не дошло у нас до драки». — «За что ж так?» — «А вот за што: он говорит, что у тебя девять овец, а десятый баран; а я спорю, что у тебя только девять овец, а барана ведь ты зарезал». — «Да, твоя правда: барана я на крестины зарезал. Да ведь он, старой дьявол, сам был у меня на крестинах, и ел баранину! Даром, что он мне брат родной, а я завтра как увижу его — сейчас в глаза наплюю». — «А мне что? даром, что он мне отец родной — пойду ему да бороду выдеру; а то ведь сам не спит и людям не дает! прощай, дядя!» — «Прощай с Богом!» А тетка так со смеху и катается. На третий день племянник увидал тетку и говорит: «ах, тетка, тетка! как тебе не стыдно? с тобою, право, пропадешь!» — «Эх ты, Ваня, Ваня, какой глупой! дядя-то с тобой разговаривает, а мне как к тебе выйтить? Вот теперя два раза увернулся, смотри в третий раз не дай маху. Ночью приходи к нам в избу, ведь ты знаешь, где мы спим, да как нащупаешь — так и валяй: у меня жопа-то будет заворочена». Только легла тетка спать с мужем, и говорит ему: «послушайка, что я тебе скажу: что-й-то мне мочи нету, спала я шесть годов с краю, а теперь ложись ты сюда, а я к стенку». — «Мне все равно!» — сказал старик и полез на край. Полежала-полежала тетка да и вздумала: «эх, хозяин, какая в избе-то жара! посмотри-ка, должно быть печка закрыта», — а сама хвать его рукой за жопу: «а ты все в портках! ах ты — прелые муде! ты бы спросил хоть у Лукьяна или у Карна: спят ли они когда в портках с своими женами?» Он послушал ее ума-разума, скинул портки и заснул: жопа заворочена! Только пропели первые петухи, племянник пролез в подворотню, да сейчас в сени; приложил ухо к дверям: в избе тихо, отворил дверь потихоньку, вошел в избу и ну щупать около постели; нащупал дядину жопу и обрадовался голой сраке; вынул свой кляп и наставил дяде в жопу: как попер, дядя закричал благим матом и ухватил его за хуй. А тетка спрашивает: «што ты, што ты, старик?» — «Вставай скорей! — закричал дядя на жену, — зажигай лучину: я вора поймал». Тетка вскочила, побежала будто огонь дуть, да взяла воды и остальной огонь залила. «Что ж ты копаешься?» — «Да огня нету!» — «Беги к соседу!» — «Как я пойду! теперь дело ночное, волки таскаются». — «Ах, мать твою разтак! на вот держи вора, а я сам побегу за огнем-та. Да смотри не упусти». Покедова дядя отыскал фонарь, отпер ворота, пришел к соседу, разбудил его и рассказал что случилось, да добыл огня, тетка в это время оставалась с племянничком в избе. «Ну, — говорит, — теперича делай со мною, что хочешь!» Вот он положил ее на постелю и отработал ее два раза. Тетка проводила парня и думает: что сказать мужу? как-де вора упустила! Спасибо на ее счастье не так давно отелилась корова, а теленок был привязан к ихной кровати. Баба хитра, ухватила этого теленка за язык и держит. Воротился муж с огнем и спрашивает: «жена, что ты держишь?» — «Как дал ты, так и держу!» Мужик так рассердился, схватил ножик и отрезал теленку голову. «Что ты, с ума сошел, али взбесился?» — закричал на него жена. Он скинул свои портки и показывает ей жопу: «на-ка посмотри! как он меня лизнул! коли б еще раз лизнул — кажись и жив не был бы!» Повстречалась тетка с племянником и говорит: «а что, Ваня, купишь мне красные башмаки?» — «Отчего не купить! вот завтра в город поеду и куплю». — «Купи, Ваня, я те заслужу». А Ванька-то был не промах; пошел на огород, выбрал кочан капусты, вырезал вило́к, да в платок завернул и несет тетке. «Что, Иванушка, купил?» — «Купил». — «Дай-ка попробую». — «Сперва заработай!» Привел ее в сарай, платок с вилком положил ей под голову и давай попирать тетку; попирает, а капуста в головах скрипит да скрипит. Тетка и говорит: «скрипи не скрипи, а быть на ногах!» А парень: «съесть и в пирогах!»

СОЛДАТ И ЧОРТ

Вышел солдат в чистую отставку и пустился на родину; а солдат-то был размычь горе: какие были деньжонки, все пустил в разные стороны. Идет дорогою: «дай, — говорит, — я с горя горелки тяпну! продам последний ранец и развеселю ретивое». Ладно, ранец по боку и урезал полштоф начисто. Пошел путем дорогою, брякнулся спьяна наземь и стоит на четвереньках, никак не может подняться! Прибежал чорт: «что ты делаешь, служивой?» — «Сам видишь — ебу!» — «А что ж у тебя хуй торчит наружу?» — «Не попаду!» — «Да ты кого ебешь?» — «Да кого велешь, того и стану». Чорт видит, что солдат, парень ловкий, а им таких и надо, взял его к себе. Солдат теперь живет богато — каждой день пьет горелку, курит махорку, редькой закусывает.

БИТЬЕ ОБ ЗАКЛАД

Был поп, содержал на большой дороге постоялой двор. Идучи с заробoтков, заходили к нему ночевать и обедать всякие мужики. Вот разговорился раз поп с одним парнем: «что, свет, хороша ль работа была? много ль денег заработал?» — «Сот пяток несу домой». — «Это доброе дело, свет! Давай-ка с тобой поспорим, да об заклад побьемся на эти пять сотен; коли выиграешь, будет у тебя целая тысяча». — «О чем нам с тобой спорить-то?» — «А вот что: живи у меня сутки, пей, ешь, что твоей душе угодно, только до ветру не ходи: вытерпишь — твое счастье, а не вытерпишь — мое!» — «Изволь, батька!» И ударились об заклад. Поп сейчас поставил на стол всякого кушанья и вина; парень давай уписывать, нажрался и напился до того, что вздохнуть невмоготу. Запер его поп в особую горницу. Только дня еще не прошло, а мужику захотелось срать: невтерпежь пришло; «что делать, — говорит он попу, — отопри, батька! проспорил!» Поп обобрал с него деньги и отпустил домой начистоту. Понравилось попу огребать денежки, надул еще двух-трех мужиков таким же манером. Прошел о нем слух по деревням и селам, и выискался один хватюга. Шел он домой с работы, а денег у него в мошне-то меньше гроша; пришел к попу ночевать. «Откуда идешь?» — спрашивает поп. «В работниках жил, теперя иду домой». — «А много ль денег домой несешь?» — «Тысячи полторы будет!» Поп как услышал — чуть не подскочил от радости. «Давай, — говорит, — об заклад биться. Ешь и пей ты у меня, что душе угодно, только до ветру не ходи целые сутки; вытерпишь, я плачу тебе полторы тысячи, а не вытерпишь — ты мне заплатишь. Хошь?» — «Давай, батька!» Уселся мужик и давай угощаться: поп не успевает носить кушаньев да вина подливать — так все и прибирает; нажрался, налился и спать повалился; поп его и запер накрепко. Ночью проснулся мужик и так захотелось ему до ветру, что кажись последнюю калитку ломает — туго приходит! Мужик увидал: на гвозде висит большая попова шапка, снял ее, навалил ее больше половины и опять повесил на стену, а сам улегся спать. Прошли сутки, мужик давай стучать: «отпирай, батько!» Поп отпер, осмотрел везде — нигде не видать насранного. Тут мужик и прижал попа: «подавай денежки!» Поп морщится, а делать нечего, заплатил ему деньги и спрашивает: «как тебя, проклятой зовут-то? николи тебя пущать не буду». — «Меня зовут Какофием, батько!» — отвечал мужик; взял денежки и ушел. Остался поп один и раздумал: жалко стало ему денег. «Пойду, с горя лошадей посмотрю!» — схватил со стены шапку и напялил на голову: говно и потекло оттуда по голове на шею ему и на плечи. Поп еще пуще взбесился, выскочил на двор, сел верхом на лошадь и погнал по большой дороге; а навстречу ему извощики едут. Поп и спрашивает: «не видали ль, ребята, Какофья?» — «Батька, *каков* ты? неча сказать, хорош! Кто тебя так славно изукрасил-то?» С тем поп и воротился.

ПРИБАУТКИ

а) Вчерашний день я по улице гулял, видел: петух топчет курицу, воробей — воробку; надели меня супругой — веселой и упругой. «Будешь доволен, я знаю приворотной корень, да видя твою дурацкую рожу — приведу тебе козу». — «Чем же тебя благодарить, не успел киселя наварить; хотел бы сварить кашу, да расклевали куры чашу».

б) Был я доброй молодец, пошол я к синю морю дубище-коренище рубить; как отрубил я коренец, он ударил меня посеред яец, так вот и теперь у меня рубец. Пошол я оттедова по-над синим морем и зашол в кузницу. «Кузнецы, кузнецы, скуйте мне топор, крепок и востер». Взял топор, иду по-над рекою, а там прачка: я етую прачку кляпом в срачку, она в воду, я на колоду, высек из пизды лобок и уехал на тот бок.

в) Стоит поп на льду, подпер хуем бороду. Ебена мать — дочку ебли на лубочку; лубочек вот гнется, черна пизда трется — потирается, разъебается. Трах, трах, трах! ебет старуху монах на осиновых дровах — три полена в головах.

г) В пизде черви завелись, немножечко проточили — три кареты проскочили. Гарнизонной капитан в пизде роту обучал, сам на секеле стоял, да и саблею махал, нигде края не достал.

д) Задумал наш дядюшка жениться на сивой кобыле. Стали мы своего дядюшку женити в четыре свахи дубовые, пята сваха вязовая. С той радости наш дядюшка усрался. Кругом говном обклался, домой пришол — не сказался.

ABOUT THE ILLUSTRATOR

Mr. Alek Rapoport (1933–), a dissident Russian artist, emigrated from the USSR in 1976. In Leningrad he illustrated books for a variety of publishing houses, including Aurora Art Publishers, various publishers of scientific books, and the largest publisher of children's literature in the USSR. He has also worked as a theatrical set and costume designer.

He now lives in San Francisco.